庫

小さいおうち

中島京子

文藝春秋

もくじ

装画　いとう瞳
装丁　大久保明子

初出　「別冊文藝春秋」第二七八号〜第二八五号
単行本　二〇一〇年五月　文藝春秋刊

小さいおうち

第一章　赤い三角屋根の洋館

1

まず始めに言っておかなくてはならない。

この本は、「家事読本」ではない、と。

家事術に関してはもう、お話しするつもりはないということだ。そのことをきちんと、理解してもらわねばならないだろう。

ありがたいことに、渡辺《わたなべ》家を最後にわたしもこうして茨城の田舎に引っ込み、細々ながら一人暮らしを続けている。近くには甥《おい》一家が住んでいて、ときどきはいっしょに食事をとることもあるし、恵まれた老後を過ごしていると言えるかもしれない。長年いっしょうけんめい働いた甲斐あって、少しは貯金もあるから、体が利かなくなったらそのお金で老人ホームにでも入ろうと思って、一部を株にして甥に運用してもらい、コツコツ節約して暮らしている。年金はちょぼちょぼだけれど、やりくりは骨に沁《し》みこんでいるので、世間の若い人よりは、よほどじょうずにしている。

だから、これはお金のためというわけでもない。

出版社にお勤めの渡辺様のお嬢様が熱心にご紹介くださり、二年ほどまえに『タキおばあちゃんのスーパー家事ブック』という本を出したのは、わたしの人生において、転機とも言うべき事柄だった。最近の若い人たちは、野菜の選び方も切り方も、掃除の仕方もなにもかも、知らないのだそうだ。誰にも教わることがないからだそうで、わたしのようなものにそれを聞きにみえるとは、ずいぶん時代が変わったものだと思った。

じつは、そのとき初めて知ったのだが、当節は、本人が書かなくても本は出来上がるのだから、驚いたものだ。このごろはなんでも粗製乱造で嘆かわしいことこの上ない。そのおかげでわたしの本も出たのではあるが。

あれはあれで、なかなかいい本だった。

だいぶ売れた。

その収入で、また少し株を買い足すことができたのである。

けれども、わたしの知っている家事のコツについては、すべてそちらにあるので、そのことをもう一度お話しする気にはなれない。なんでも、一つあれば十分で、おんなじものをいくつも持つ必要はない。それは、節約してじょうずに暮らすための、コツでもある。

2

今日、出版社の編集者と名乗る若い女性が家へやってきて、こんどの本の打ち合わせをしましょうと言った。

まえまえからわたしは、次の本の構想について話してあったからだ。

「もちろん、家事のコツについては、もう取り上げるつもりはありません」

そう、彼女は言った。

「むしろ、季節の折々に、タキさんが感じられたこと、おいしいお惣菜のこと、おつきあいの方法などについて、タキさんにしかわからない、なつかしい東京のお話をしていただければいいんです」

そうね。それも悪くはない。言っていることはわかる。

けれどどこか、わたしの残しておきたいものと、微妙に内容がずれるような気がする。

ひとは、わたしのようなものには、流しにこびりついた白い水垢《みずあか》をきれいに落とす方法以外に、話すことなどないと思うだろう。かくいうわたし自身、そう思っていた。

しかし、わたしもすでに米寿を越え、今日の命か明日の命かと思うにつけ、もっと大事なことを書いておきたい気がしてきた。

もはや、わたしが女中奉公をしていた時代を知る方は一人もいない。

いつ、日本から「女中」という言葉がほんとうに消え去ったかについては、きっと、専門に勉強している方もおられるような重大問題であろうが、わたしの記憶では、昭和四十年代くらいには、まだ残っていたように思う。高校生だった甥が、『赤頭巾ちゃん』だか『黒頭巾ちゃん』だかいう流行小説を読んでいて、その中に、お手伝いさんじゃなくて女中と呼んでくれ、と胸を叩く女中のよっちゃん、というのが出てくると教えてくれた。なんだかちょっと伯母さんみたいだね、と聞かされたことがあったが、あのあたりが最後であろうか。

甥が言うには、いまどきは「家事代行サービス」というものが、取って代わったのだそうだ。味気ない話だ。

わたしが奉公に上がった時代、昭和の初めになれば、東京山の手のサラリーマン家庭では、女中払底の時代になっていたのだから、「タキや」と呼びつけにされるようなことは一切なく、かならず「タキさん」と、「さん」づけで呼ばれ、重宝がられていたものだ。東京のいいご家庭なら、だいたいそうであろう。わたしがその仕事についた時代は、「よい女中なくしてよい家庭はない」と、どの奥様だって知っておられたものだ。

わたしは偶々《たまたま》、こうして生涯、嫁に行かなかったけれども、元来、女中奉公というのは、嫁入り前の花嫁修業であった。よい花嫁となるためのご奉公なのであるから、今日の女子大学とまではいわぬものの、そう馬鹿にした職業ではなかったのであるのに、なにかこう、奴隷のごとき存在のように思われているのはいかがなものか。

わたしにしたところで、つらい思いをしなかったわけではないが、はて、仕事というものので、どこもつらくない、楽しいばかり、ということがあるだろうか。

とはいうものの、「女中」という職業に、ある種の、ひやかしのような視線が向けられることがなかったかといえば、ないとは言い切れない。

かくいうわたしも、最初に上がったお宅の旦那様には、まったく色目を使われることがなかったかと訊かれれば、ここだけの話だが、あるにはあった。

ただ、あの方はたいへん偉い小説家の先生であるし、このことを公《おおやけ》にするわけにはいかない。

だから、これはわたしの胸一つに収め、墓場まで持って入るつもりである。

ときおりこっそり、雑巾がけをするわたしの足やお尻に触ったり、奥様に内緒で、こっそりお小遣いを下すったり、そういう目的で、わたしを按摩《あんま》に呼びつけることがなかったわけではないけれども、しかしまあ、それはそれ。そこはそこ。

3

わたしが尋常小学校を卒業して、東京へ出たのは、昭和五年の春のことである。

きょうだい六人のうち、上四人はすべてどこかへ奉公していたから、わたしも行くのがとうぜんと思っていたが、年の近い姉のタミは近隣のお大尽《だいじん》の家に行かされて、たいへんにつらい思いをして気の毒であった。

あかぎれ、しもやけだらけの手と足をして、藪入《やぶい》りに泣きながら里帰りをしたタミの話を聞いていると、ずいぶんつらいことだなあと思いはするものの、田舎娘にほかにどんな選択肢があったというのだろう。

しかし、タミよりいいことは、東京へ出られることであった。

農村の口べらしにと、都会での求人を頼りに行き先も知れず上京し、娘が悪徳桂庵《けいあん》に女郎屋へ売り飛ばされるようなこともあった時代だった。村で評判の色白娘のところへは、芸者屋が買いにくることもあった。だいたい七歳くらいの、小学校へ上がるか上がらないかという娘が買われていったりした。

けれども、わたしはちっともべっぴんではなかったのでそういう話はこなかったし、親類の伝手《つて》で、あらかじめ行くところも決まっていて、とてもいいご家庭だと聞かされてもいたから、その点は気楽なものだった。

十二や、十三の娘に、覚悟なんてものがあったためしはない。それはどんなに時代が変わったって、そう変わるもんでもないだろう。

いいことといえば、初めて乗る汽車が珍しくて楽しくて、しかたがなかった。

汽車の中でわたしは、その親類の者に懇々と女中の心得を説かれたものだ。一家の誰より早く起きること、誰より遅く寝ること、言いつけられたことだけをしていてはだめで、機転をきかすというのがだいじであること、御用聞きと必要以上に長く話してはならない、料理が好きだからといってほかの仕事がおろそかになってはならない、子守を遊びと勘違いしてはならない……そんなような、誰でも言いそうな説教だったけれども、わたしはそれを聞きながら、「子守は遊びと思うほど楽しいんだろうか」と思う明るい性格であったし、べつだん重苦しい気持ちにもならなかった。

「東京さ、えっだら、なんでも、ぐずらもずらでは、んまぐね。ちゃっちゃど、なんでも、わらわら、すんだべ。いづばん、んまぐねのは、えづまでもえづまでも、なまりっこ、とれねごどだばー。いづにづもはやぐ、東京弁ばおぼえでぇ、なまりっこ、つかわねで、はなせっよーにならねっどー。わがたがー」

「わがた、わがた」

「んだら、えまがら、東京さ、着ぐまで、なまりっこ、つかてはならねー。なんでも、話すどぎは、『です』どが、『ます』どが、言うんだべ。わがたがー」

「わがた、わがた」

「その、『わがた』が、もう、んまぐね」

「ほだなごど、えっだってー、『わがたがー』って聞いだがら、ワダスも答えだんだっすー」

わたしが口を尖《とが》らして反論すると、その親類のおばさんはびっくりして、

「んだべが？」

と言って、少し黙り、

「土地の者といると、気がつかないうちになまってしまう。気をつけなくちゃいけないよ」

と、東京弁で言った。

それからは、口を利きたくても言葉がなまりしか出てこないので、わたしは自然におとなしくなり、おばさんのほうも、うっかりお国なまりで話しては説教に意味がなくなると思ったのか、目をつむって寝てしまった。

そんな田舎娘だったから、東京に着いたときの驚きはいかばかりだったか。列車が上野駅に着き、そこに降り立ったときの光景は忘れることができない。

構内は人であふれ、太いレールが何本も何本も、これでもかというくらいに無尽に延びて、さすが東京、ここからなら日本中どこへでも行けないところなどないと、ため息が出たものだ。警笛は間断なく鳴り響き、行きかう貨物列車と立ち上る煤煙《ばいえん》に、まったく、夢の中みたいなところへ来たものだと思ったっけ。

省線《しょうせん》を乗り継いで大塚《おおつか》で降りると、商店の並ぶ通りは、出勤する人、自転車の波、荷物を運ぶ馬、それに黒光りする自動車もいて、チンチン電車が行きかい、それは賑やかなもので、歩こうとするとなにかにぶつかってしまいそうで、眩暈《めまい》がしたのを思い出す。

おばさんに連れられて、市電が行ったり来たりする大通りを行くと、大塚坂下町《さかしたちょう》の右手に大きな立派な護国寺《ごこくじ》があり、窪町《くぼまち》の新緑の中には建ったばかりの文理科大学、なにもかもが立派でしゃんとしていて、角に大塚女子アパートが建っていた。

あの茶色の洋風建物から、断髪の颯爽《さっそう》とした女のひとが小さなハンドバッグを小脇に抱えてかつかつと靴音をさせて歩く姿が目に浮かぶ。

わたしの生まれ育った田舎の村とは、ほんとになにもかもが違った。あのころの帝都東京は、美しい大都会だったもの。

わたしが東北の一県から女中奉公に上がったことを知るやいなや、若い方が気の毒そうに目を細め、「おばあちゃん、苦労したんですね」などと、さかしげに言ったりするのは、はっきり言って噴飯ものである。

小説家の小中《こなか》先生のお家は、都会の真ん中にある、数寄屋《すきや》造りの立派なお邸《やしき》だった。わたしが初めて伺ったときは、あと二人、まささんといねさんという年上の女中さんがいた。まささんが炊事と掃除を主に受け持ち、いねさんが小中先生や奥様の身の回りのお世話とおつかい、お洗濯、わたしは子守と、それにまささんといねさんの助手を担当した。それはまあ、めまぐるしく働かされたことであった。

翌年に、小中先生のお知り合いの娘さんに幼い子供がいて手がかかるので、そちらにまわって欲しいと言われて、わたしは別の家の女中に入った。小中先生の大所帯に比べれば、小さな家だったが、奥様やぼっちゃんと過ごした日々には、わたしのたいせつな思い出がすべてつまっている。

4

わたしの言うことをテープにとって欲しいのだと話したら、若い女の編集者は一瞬わけがわからないような顔をしたが、

「そうですね、もちろんです。コンセプトが固まったらそうします」

と言った。

近頃の若い人は、なんでもかんでもカタカナ英語で、年寄りにはなにもわからないようにしゃべる。わたしはこの若い女性編集者とは、うまくやっていけないのではないかと感じ始めた。なにを書いたらよいかわからないので、まず、お話しできることをすべて話すからテープに録音して欲しいと切り出したのに、書くことを決めてからいたしますの一点張りで、これでは話にもならない。

「お書きになりたいことって、自分史みたいなことでしょうか」

と、この若い人は言う。その、自分史、がもうわからないで困る。字面から考えれば、自分の歴史、ということになるのだろうけれども、自分の歴史など書きたくはない。なんだろう、自分の歴史なんて。日本とか、イギリスとか、明治とか江戸時代とか、そういうものだろう、「の歴史」をつけてもいいのは。

「それだとちょっと、うちでは出せないんだな」

いらいらしたように、若い女性が言う。

「そういうんだったら、ジヒシュッパンの部署の者を紹介しましょうか」

そこまで言われると、なんだか不愉快である。こっちだって、お慈悲やなんかで出してもらわなくともかまわないのだ、という気持ちになった。

5

女中にとっていちばんたいせつなもの、それは、掃除や炊事の手際の良さだけではないのだ。ある種の頭の良さのようなものだ。そう、「ある種の頭の良さ」と、わたしの能力を評したのは、他ならぬ小中先生である。

「タキちゃんは頭がいいんだね。ある種の頭の良さを持っているんだ。それは学校で勉強ができたり、学者になったりする頭の良さとは違うんだけれど、とっても重要なことなんだよ。タキちゃんみたいに、人様のために働く仕事をする人にとってはね」

その小中先生が亡くなって、もう六十年になろうとしている。

わたしのもっとも古く、もっとも懐かしい小中先生の記憶は、ご挨拶に上がったときではなくて、書斎へお掃除に伺った、その最初の日のことであった。

「ここは掃除をしなくてかまいませんよ」

先生の書斎は、ずいぶんどっしりした文机《ふづくえ》の置かれた日本間で、南に面した障子を開くと金魚の泳ぐ池のある庭が見えた。机の周りにはたいそうむずかしげなご本が、英語のものなども混じって乱雑に積まれていたものである。

机の上には書き損じの原稿やら、いや、おそらく書き損じていないものがたくさんのっかっていたのに違いない、だって、そのあとで先生はこう言われたのだから。

「ごみだと思ってね、うっかり原稿を焼かれてしまっては困るんだ。昔、イギリスにそういう女中さんが居て、ご主人が友達から預かったたいへん大切な論文を、暖炉にくべて焼いてしまったんだそうですよ」

そう言って、先生は悪戯《いたずら》をするような眼で、眼鏡越しにわたしのほうをごらんになった。

少し、いたたまれないような気持ちが、わたしはしたのだと思う。なにもわからずにだいじな原稿を焼いてしまうなんて、女中とはなんと浅はかなのだろうと。

ところが先生は、十三歳のわたしの目の中に、そういう気持ちを汲み取ったのか、そのあとでこんなことを言ったのだった。

「その女中さんのご主人様は学者さんで、原稿を預けた友達も学者、二人は言わば、仕事上のカタキ同士みたいなもんだったんだ。友達の学者は何十年もかかって、論文を書き上げた。一方女中さんのご主人様のほうは、まだ著作を出せる段階ではなかった。ご主人は友人をやっかまなかっただろうかねえ。もし、この友人の論文が、一瞬にして灰になってしまったら、どうだろう。友人はもう一度、その膨大な原稿を書き直さなければならない。あるいは、その著作を世に問うことをあきらめるかもしれない。その間に自分は、友人に一歩先んじることもできよう。そんな想像が、一瞬でも、ご主人の頭をよぎらなかっただろうか」

わたしはそのとき、小中先生がなにを言われているのだか、さっぱりわからなかった。けれども、この話は小中先生お気に入りの話だったようで、その後も何回か拝聴する機会があったのである。

そして、ミルだかジルだかいうそのご主人の学者さんが、カーライルだかカーライスだか、カレーライスみたような名の、友達の学者さんの原稿を女中に焼かれてしまったというお話の締めにはいつだって、「けれども、友人の原稿がなくなってしまえばいいと、彼は一瞬でも思わなかったろうか」とおっしゃったものだった。

なにしろ、そのミルさんは、カーなんとかさんの原稿が焼けたおかげで、親友に先駆けて、論文を発表することができたのだそうである。

何年も経って、わたしにも女中の仕事の手順やコツが飲み込めてきて、小中先生の言わんとするところが、この胸にすとんと落ちてきた。だからいまとなっては、「ご主人様のために、お友達の原稿を暖炉で焼いて差し上げた女中の話」は、こうしてわたしの頭の中に、くっきりと残っている。

このイギリスの女中は、なにもわからず大切な原稿を火にくべてしまったのではなくて、ご主人様の立身出世を願う心から、むしろ率先して、カタキにあたる友人の原稿を焼き、自ら、その罪をかぶったのである。

本来、女中というものは、こんなことまでしてはならないが、これは一つの寓話として、わたしの心に感銘深く刻まれたのだった。

そんなこんなで、小中先生のお宅での短いご奉公も忘れえぬものではあるが、わたしにとって最も思い出深いのは、小中先生の豪邸とは似ても似つかぬ、こぢんまりしたサラリーマン家庭の平井《ひらい》家にご奉公した日々のことだ。

6

順序から言えば、わたしは小中家からすぐに平井家の女中になったわけではなく、その前に浅野《あさの》家にご奉公に上がった。

初めて時子《ときこ》奥様にお会いしたのは、家々の前に涼しげに水の打たれた、夏の午後のことだった。

絽《ろ》の着物に麻帯を締め日傘を差した大奥様に伴われて、目見えに伺った私の前に、若いサラリーマン向けの借家の並ぶ路地から、白地に青い水玉模様のワンピースを着て飛び出してきた。一歳半かそこらの恭一《きょういち》ぼっちゃんを抱いていたのに、まさに飛び出したような軽やかさで、お母さんというよりは近所のお姉さんが戯《たわむ》れに子を抱き上げてみたような雰囲気で、お嬢様とお呼びしたいほどの若々しさだった。

娘のためにわたしを雇い入れた大奥様はおもしろそうに、

「これで、あなた、旦那様のシャツのアイロンかけから解放されたわ」

と、おっしゃった。

その軽口にうれしそうに笑って、こちらに向き直った奥様が、わたしに最初にかけられた言葉は、

「タキさんと時子、名前がよく似ているわね」

というものだった。

わたしは初めて、本物の都会のお嬢様を見た思いがした。

小中先生にもお嬢さんがあったが、風貌があまりに小中先生と似ていたがために、お嬢さんというよりは、小型の小父さんのような雰囲気だったのだ。

それに比べて、時子奥様は、目のぱっちりした、美しい人妻だった。

初めて女中を使う身となった奥様は、それは熱心にお料理や言葉遣いや、こまごましたことを教えてくださったものだった。そこには、若い奥様ならではの謙虚さもあって、以前の奉公先で子守やら炊事やら鍛えられていたわたしを、頼りにしてくれるおくゆかしさも感じられたから、小中先生のでっぷり中年太りした奥様とくらべてなんともかわいらしく、わたしも一生懸命になった。

あのとき奥様は二十二になったばかりで、わたしは八歳下の十四歳だった。あれからわたしたちはずいぶん、濃い時間をいっしょに過ごした。

言葉の端々になまりのあらわれるわたしに東京風の話し方を教えたのも、初めて銀座の食堂で洋食を食べさせてくださったのも、娘時代に普段に着ていた銘仙《めいせん》のお下がりを、仕立て直して着たらいいわと、惜しげもなくくださったのも時子奥様だった。

快活で、いつもお幸せそうに振る舞っていらしたけれども、奥様の最初の結婚は、幸福ではなかったといえるだろう。

最初のご亭主は、そこそこの会社にお勤めのサラリーマンという話だったが、わたしが入ったころには不景気のあおりをくらってクビになっていた。親戚の経営する工場で、事務のような、日払いの嘱託《しょくたく》のようなことをしていたのだが、気持ちが荒《すさ》むのか、入ってくるお給金を飲んでしまって、子供もいるのに家庭になかなか帰らなかった。

よくよく考えれば、子供がいるから帰らなかったのだろう。男の人によっては、子を産んだ妻を敬遠するものもあると聞く。あんなに美しい奥様と、天使のような男の子を蔑《ないがし》ろにするなんて、どうしたものだろうと思うけれど、夢のごとき結婚生活を思い描いて嫁いできた美しい妻を幸福にできない負い目は、器の小さい男にはまともに向き合えなかったのかもしれない。

奥様は、冷えたお膳を前にため息をつく殊勝さは持ち合わせておらず、帰ってこないものの食事など作らないでもいいと言い張る気の強さだったが、陰では涙をこぼしたこともあった。それを知っているのは、わたしくらいなものだろう。

この最初の結婚は、旦那様の予期せぬ事故死によって、たいへん短いものになった。

わたしが奉公に上がったまさにその年のこと、雨の夜に工場の外階段で足を滑らせたのだ。

このことは生涯、口をつぐんで、誰にも漏らすまいと心に誓っているが、内心、わたしはあの方が、亡くなってよかったと、そのとき思った。

旦那様は三男坊で、本家には男の子がもうたくさんいたこともあって、奥様は恭一ぼっちゃんを連れて、いったん実家に帰った。わたしはお二人についていった。

だから、奥様の二度目の結婚は、わたしもいっしょにお嫁にいったようなものだ。子連れ、女中連れで、奥様は、昭和七年の暮れに平井家に嫁いだ。

7

いま、わたしが住んでいるのは、甥が新しく借りてくれた１ＬＤＫのマンションだ。先々月に、長いこと住んでいた市営住宅が取り壊しになった。住んでいたのは、ほとんどがひとり身の老人だったが、おかげさまで家賃の安いこちらに優先的に入れてもらうことができたのは、ありがたいことだった。

しかし、なにしろオール電化とかいうことになっていて、お風呂ひとつ沸かすにも、なんやらかんやら最初にたくさんのボタンを押して、電気系統に命令めいたものをしておかなければならないのが、腹立たしい。甥のところの次男坊がやってきて、「初期設定」なるものをほどこして帰ってくれたので、なんとか使っているが、困ったときに、いちいち甥の家に電話をしなければならなくて煩《わずら》わしい。

家というものの考え方が、もうなにもかも変わってしまって、わけがわからない。ものに執着がないから、どこで暮らそうが文句は言わないが、こっそり本音を言わせてもらうと、わたしには一軒だけ、ここがわたしの終《つい》の棲家《すみか》と思い定めた家があった。人様の家の、あてがわれた小さな部屋一つを、終の棲家と思い込むのもおかしなものだし、図々しい話とも聞こえるだろうけれども、それが昭和十年に建った平井様のお邸《やしき》だ。小中先生のお宅は東京のまんなかだったが、その小さなお邸は、郊外に建った。私鉄沿線のそのあたりは開発著しくて、新しいお家がどんどん建っていた。

8

なにしろ平井の旦那様は、お見合いの席で、すぐにも家を建てます、赤い瓦屋根の洋館です、と言われたのだそうで、その一言が話を受ける決め手になったのだと、奥様もよく言っておられた。

奥様が二度目の結婚をして三年目に、あの赤甍《いらか》を載せた二階建ての家は建った。ここに、落成の日に撮影した写真がある。

旦那様と、奥様と、恭一ぼっちゃんと、わたしが写っている。旦那様と奥様が並んで座り、旦那様がぼっちゃんをお膝に乗せ、わたしは奥様の右後ろに立っている。今の人が見たら、誰もわたしを女中とは思わなくて、四人家族と思うだろう。庭木もなにもまだ育っていないから、モノクロ写真のうちにもポーチの白さがまぶしい。

けれども、なぜだか引っ越しの日のことや、写真撮影の日のことは、わたしはあまり覚えていなくて、あの家の最初の光景として、くっきりこの胸に刻まれているのは、家が建って間もないころの、ある冬の日のことだ。

わたしがおつかいから帰って、お勝手口から中に入ると、応接間のほうからなにやら人の声が聞こえてきたのだ。

旦那様は会社、恭一ぼっちゃんはお昼寝中のはずだったので、とつぜんのお客様でもあるのかと、少しいそいで近寄ってみると、奥様の声しか聞こえない。半開きになった引き戸からそっと中を覗いてみると、ストーブに火をつけて、のんびりとくつろいでいらっしゃる姿が目に入った。

ひとりきりで家にいるときに、ゆっくり紅茶を淹《い》れて飲むなどという贅沢なお姿は、それまでお見かけしたことがなかったものだったが、あのお家が建ち上がって、ようやくくつろいだ、本来のお気持ちになれたのかもしれない。奥様は染付けに金の縁取りのある、香蘭社《こうらんしゃ》のティーカップにひとりぶんのお茶を注いでいた。それは、最初の嫁入りのときに伯母様から贈られた一そろいだそうで、ずいぶん長いことしまいこんで使っていなかったけれども、この家にはこれが似合うわねと、その後も何度も聞かされたものだ。

「あら、いやですわ、持ち家ったって土地は借地ですもの」

奥様は、ひとりで照れて下を向いた。

誰かに、まあすばらしいこんなすてきなおうちを新築なさるなんてなかなかあなたできることじゃございませんわ、とてもとてもうらやましいわ、とかなんとか言われたらどう答えようかと、想定問答をしているらしかった。

借地といっても、あなた、家屋敷はご自分のものでしょう、と空想の相手が言ったものとみえて、

「まあ、そりゃそうですけれど、爪に火をともすようにして、これでも節約してまいりましたのよ。そうでなきゃ、あなた、家なんて建ちませんわ」

と、奥様は手を鼻の先で振った。

「銀行からお金を借りていますのよ。借金しなくちゃ、とてもとても。その上、あれこれやりくりして、ずいぶん経済に考えましたの。借りるのと建てるのと、お金の面じゃそう変わりゃしませんわ。それに融資を払い終われば自分のものになるんですもの、お安いくらいよ」

そう言ってから、奥様は眉の間に皺《しわ》をつくるようにして、ちょっとこわい顔になった。あらまあ、そうですわねえ、それでしたらいいですわねえ、思ったより安いですわ、と相手が言うことを考えると、うれしくなかったのだろう。

「まあ、そりゃそうですけれど、爪に火をともすようにして、これでも節約してまいりましたのよ。そうでなきゃ、あなた、家なんて建ちませんわ」

と、またさっきのセリフを繰り返し、こんどは、

「珍しくもない文化住宅ですけれど、玄関のポーチは主人がどうしてもそのほうがいいと言って譲りませんで、少しばかり広めになっておりますの」

と自慢を始めた。

「家を建てようと思っていますと、お見合いの席で主人が言いましたのよ。あれから三年で、ほんとに建つとは思いませんでしたわ」

あら、ご結婚のときのお約束？　いいご主人ですのねと、誰かに言われることを想像したのだろうか、紅茶のカップを頬に近づけると、奥様はにっこりと笑われた。リプトンのいい香りに鼻をくすぐられるのがうれしそうなお姿だった。

それから、ふと姿勢を変えたので、わたしは部屋に入ろうかと思ったが、そのあとの奥様の仕草がまたとても素敵だったので、しばらく入りかねて眺めていたものだ。

奥様は、飾り戸棚のガラスに二十五の女ざかりを映して、こてでたいへんな時間をかけてつくるウェーブを、後頭部でちょこんとまとめた流行の髪型を手で確かめるようにして、ご自分に笑いかけた。もう少ししたら小学校へ上がる子供の母親にしては、やや若作りの髪型ともいえそうだったけれど、旦那様が奥様の若さが気に入っていらして、服装もヘアスタイルも所帯じみて欲しくないというご要望だったらしい。

わたしなぞの目からしてみても、平井様よりも前の飲んだくれの旦那様のほうが、色男だったことは否めない。なにしろ平井様は、奥様より十幾つも年上で、中年だし、背も低くて眼鏡をかけていて、頭の毛もどうかすると薄かった。旦那様のほうは初婚だということだったが、たしかに女より仕事型の人物に見えた。

けれども女の幸せは長谷川一夫のような美男が隣に座っていることなどではないと、奥様はよくご存知だったから、二度目の結婚に無意味な期待などなさらなかったはずだ。奥様の場合、最初の方で痛い目を見ておられるので、結婚には、お金がきちんとあって、多少の贅沢ができることのほうが、だいじだとはっきり考えていらっしゃった。わたしは結局こうして、終生、嫁には行かなかったけれども、まあ、そんなところだろうと、納得している。

赤い三角屋根の文化住宅の姿は、目を閉じればまざまざと思い描くことができる。門扉を抜けて敷石をたどり、石段を三段上がれば、旦那様ご自慢のポーチがあった。東に面した引き扉を開けると、ひんやりした広い玄関、間取りは当時流行した「中廊下型」で、家の真ん中を南北に分ける板廊下がまっすぐ走っている。

日当たりのいい南側にはお部屋が三つ。玄関脇が、奥様お気に入りの応接間兼書斎の洋室で、本棚と飾り棚と、どっしりしたデスク、横浜のほうで買われたという立派なテーブルと椅子が並んでいた。天井には山小屋の垂木《たるき》みたいな黒い梁《はり》が渡されていて、笠にきれいな装飾のある、ランプ形の電灯が下がっていた。

そのお隣が畳のお部屋の居間、続きがご夫婦の寝室。その二つの部屋は南にある庭との間を縁側で仕切られていたが、とくに寝室の南の広縁の部分は、サンルームと呼ばれていて、コーヒーテーブルと肘《ひじ》つきの椅子が二脚、庭を眺められるように置かれていた。

中廊下を挟んで北側には、台所、お風呂、ご不浄などの、水回りが並ぶ。

わたしの寝起きする女中部屋は、この北側にあった。玄関右手の、二階へ上がる階段の裏側がわたしの部屋だった。

二階には二間。一つは恭一ぼっちゃんのお子様部屋になる予定だった。

必要なものがすべて揃った間取りで、あのころに建った一戸建てと考えれば、けして大きいほうではなかったけれども、家などというものは、大きければそれでいいとは限らない。機能的であればいいのだということも、わたしはあの家から教わった。ご夫婦の寝室は八畳あっていいところを六畳間だったし、二階の部屋も六畳と四畳半だった。借家で、もう少し広いところを探すことはできたはずだ。

そのかわりに、玄関脇のステンドグラス、応接間に作った丸窓など、時子奥様は、ご自分が欲しいデザインは全部注文されて、設計には心から満足されていたようだ。

女学校時代のお友達のことを考えれば、もっとずっと高級な分譲住宅地に住んでいる人も、それこそもう少し立派な家を借りている人もいるけれども、上を見たらきりがないわ。なによりも、自分らしい暮らしが手に入ることがうれしいのと、よく奥様はおっしゃった。

ひとりでお茶を召し上がっている奥様は、そのままお声をかけずにいたいほど、満足げなご様子だったが、わたしもおつかいから戻って何も言わないわけにもいかない。

「まあ、どうですか、これからがたいへんでございますけれどもね」

なにがたいへんなのかはわからないが、人に褒められたらとりあえず謙遜しておこう、というくらいの気持ちだろうか。想定問答を続け、口元に右手を、その右手に左手を軽く添えるようにして、首を右に傾げ、目を弓のように細めて奥様がお笑いになったのを潮《しお》に、わたしはいったん勝手口まで戻り、少し大きな音で戸を開けて、

「行ってまいりました」

と、威勢のいい声を出したのを覚えている。

9

「姉さん、なんて?」

応接間に入っていくと、奥様はおっとりとこちらを振り向いた。

「あらま、お祝い返しに、またお返しいただいたの?」

わたしはその日、引っ越しのご祝儀のお礼にと、洋菓子か何かを持って、奥様のお姉様にあたる麻布の奥様をお訪ねしたのだった。

「たまたまいただきものが重なったので、余らせてももったいないからと、麻布の奥様

が。お家へは近々必ずうかがうけれど、いまは正人《まさと》ぼっちゃんの受験のだいじなときなので、それが終わってからにすると、そうおっしゃって」

言われたとおりのことをお伝えすると、時子奥様は不愉快げに顔をしかめた。

麻布の奥様は正人ぼっちゃんの中学受験に夢中で、小学五年生から受験塾に通わせ、七年制の学校にやるんだと目の色を変えていた。お母様に首根っこをつかまれるようにして、正人ぼっちゃんは、日曜ごとに、青山会館で行われる模擬試験に連れて行かれていた。

今年が受験本番で、東京高校だか府立高校だか、とにかく東京でいちばんの難関校を受けさせるのだという話は、耳のタコが八本足で歩き出すほど聞かされていたので、奥様は心の底からうんざりした声を出した。

「そんなに先じゃあ、うちの新築が新築じゃなくなっちゃうじゃない」

そう言いながら、奥様はガスストーブの火を消し、ポットとカップを手に台所へ移動した。紙包みを持ったまま、わたしが続き、半分独り言のように、

「ええ、それに」

と、つぶやいたのを聞きとがめて、奥様は眉間《みけん》に皺を寄せた。

「それに、なに？」

「いいえ、なんでもございません」

「なに？　おっしゃいよ」

「ええ、でも」

「姉さん、いやなこと、言った？」

「ええ、まあ」

わたしは心の底から憤慨していて、そのことを話したかったのだけれど、奥様が怒り出すのも困るので言い出しかねていたのだ。麻布の奥様はしばしば人様の神経を逆撫でするような物言いをした。

「なんて言った？」

「言っても、かまいませんか？」

「ええ、いいわ。覚悟したから」

「この前の大地震で、東京中がすっかり焼けて、あれだけ家だの財産だの、持つもんじゃないって思い知らされたのに、よくまあ建てる気になったわねえ、と、こうおっしゃるんですよ」

「あら」

奥様の鼻の頭は怒りのために膨らんだ。

「先月だって、神戸の宝塚劇場が大火事で焼けたって話なのに、とも」

「まあ」

「麻布の奥様は、正人ぼっちゃんのことで頭がいっぱいなんですよ。まるでついでみたいに、恭一ぼっちゃんのことまで引き合いに出されて」

「あら、なんて？」

「お金をかけるなら、家より子供が大事だとか。お父様のことがあるから、恭一ぼっちゃんは早くから勉強をがんばらせないと、とてもじゃないけど、いい中学には入れまい、みたいなことをおっしゃるもんですから、わたしもほんとにむしゃくしゃしてしまいました」

「中学、中学って、嫌ねえ、受験生の母親って」

癇《かん》にさわったのを、奥様は隠そうともしない。

「まあね、少しは、やっかみも入ってるんでしょう」

そう、肩に力を入れるので、

「それに違いありませんよ、ごきょうだいですから、なにかと競ってしまうんでしょう。なにもおっしゃらないのがいちばんですよ」

と、こちらも相槌《あいづち》に力が入る。

暗に、最初のご結婚のことを云々《うんぬん》されたのに、わたしは頭に来たのである。

たしかに、なんだかあまりできのよくないご亭主だったが、いまさら、前のことを持ち出されることはないだろうと思ったのだ。というのも、二度目の結婚をされたあたりから、日本全体の景気がぐんぐん持ち直してきて、輸出なども活発になり、奥様はあの貧乏だった日々のことを、ようやく忘れたようにみえたからだ。

なにしろ旦那様の会社は羽振りがよかった。旦那様は、ご結婚された年にそれまでお勤めだった会社を退職して、引き抜かれるようにして玩具会社に営業部長職で入ったのだ。それにつれて驚くべき昇給も果たされたと聞く。

ぐるぐる回る戦闘機とか、爆弾三勇士人形とか、時局ものの玩具が飛ぶように売れて、さらに日本のキューピーちゃんは世界でもたいへんな売れ行きとかで、業界ごと日の出の勢いだったのだ。

約束どおり、三年で家が建ったのも、そんな理由だろう。おそらく、麻布の奥様のところは、民間と違って昇給の話題などさっぱり聞かない官吏だったから、息子の立身出世ばかりが望みだったのだろうと思うと、少し気の毒である。

「そろそろ恭一を起こしてちょうだい。日のあるうちに、少し外で遊ばせたほうがいいわ。寒いからって閉じこもってばかりいると、ひょろひょろの青虫みたいな男の子になっちゃうから」

奥様はたしかにそのとき、麻布の奥様のところのひょろついた正人ぼっちゃんのことなど思い浮かべていらしたに違いない。

「はあ、その前に」

あのとき、わたしはちょっと言いよどんでしまった。

「どうかした？」

「麻布の奥様にハンケチをいただいたので、部屋へ戻って置いてきてもよございますか？」

「ええ、まあ、べつにかまいませんけど」

奥様は、そう言ってわたしの顔を覗き込むようにされると、何かがピンと来てわかったぞ、という顔をされて、

「新しいお部屋、気に入った？」

と、おっしゃった。

「はい、それはもう」

十七歳の娘だったわたしの頬には、赤みが射していたに違いない。

わたしはあの自分の部屋が好きで好きでたまらなかった。なにしろ専用の便所までついていて、それがすべて新品ときているのだから。

「奥様」

わたしは思わずあらたまって、こんなことを言ったのを覚えている。

「奥様、わたし、一生、この家を守ってまいります」

奥様は、ころころとお笑いになった。

「あらいやだ、あなただってそろそろお嫁に行くことを考える年齢じゃないの」

「お嫁になんぞ行くもんですか、わたしなぞがどこかへ嫁いだところで、このお家での暮らしより立派な生活ができるとは思えません。それより、この部屋に誰か別の者が入ることを考えるほうが嫌ですよ」

「あらまあ、頼もしいのだかどうだか」

お笑いになりつつも、奥様はわたしの真剣さに打たれたようだった。

「ハンケチを置いたら、すぐにぼっちゃんをお外にお連れします」

下がろうとすると奥様は、頂き物の包みをさっさと開けて饅頭を一つ取り出して懐紙に包み、

「行って帰ってすぐじゃあ、あなたも疲れるでしょうから、甘いもの一つ、お部屋でいただいてからにしたら? これ、おすそわけ。恭一を連れて外に出たら、ついでにお野菜を少し買ってきてちょうだい。今日、お夕飯、鶏のシチュウにするから、にんじんと、蕪《かぶ》かなんか、適当にみつくろってきてよ」

と、おっしゃった。

心得ましたとうなずいて、背の高い奥様を見上げると、そこには気持ちが通じ合っている者同士にだけ交わされる、親しげな目配せがあった。

10

旦那様が会社から帰られると、ご家族は食卓を囲み、わたしはお給仕をするのだったが、お食事がすんでも卓袱台《ちゃぶだい》のある茶の間はくつろぎの場で、お食後の果物などを召し上がりながら、家族がのんびり過ごすのだった。

旦那様は、たいてい、会社帰りに読んでいらした夕刊の話題などに触れ、

「次のオリンピックは東京でほとんど決まりだな」

　などと、まるで旦那様が世界を動かしているみたいな言い方をされるのがお好きだった。

「オリンピックって?」

　口のまわりにクリームシチュウをこびりつかせた恭一ぼっちゃんが尋ねる。

「世界でいちばん足の速い人や、世界でいちばん泳ぐのが速い人やなんかを決める、運動会のこと」

　奥様はたいてい、かみくだいて、そんなようにおっしゃる。

「運動会って?」

「だから、かけっことか、玉入れとか、スポーツの競争のことよ。恭ちゃんが小学校に行くようになれば、運動会をするわよ」

「イタリアが無条件で東京支持にまわったそうだよ。ローマ大会は東京の四年後になるだろう。あと一つの候補はフィンランドだが、ヘルシンキと東京なら、東京のほうが大都会だからね」

　旦那様がそう言えば、

「まあ、それはそうですわね。そんなヨードチンキみたいな名前の街と比べて、東京が劣るとは思えませんもの」

　奥様は、いつだって、旦那様の意見に調子を合わせた。

「オリンピックともなれば、また復興祭みたいなパレードやなにか、あるわねえ」

奥様はうっとりとした目をされた。

五年前の帝都復興祭を思い出されたに違いない。

わたしは復興祭をこの目で見てはいないが、奥様が何度も何度も話されて、写真も見せてくださったので、いまでは自分で見たことのように思える。

奥様は、女学校時代の友人の睦子《むつこ》さんと見学に出かけたそうだ。東京のまんなかを、花電車が何台も走って、沿道には日の丸を振る人がいっぱいで、夜通し明るい提灯の列が並んだ。あれは心が華やぐお祭りだったと、華やかなことの好きな奥様は何度もおっしゃった。

それはそうだろう。大震災から七年、とうとう帝都東京が復興して、ニューヨークに次ぐ世界都市になったのだということを、知らしめるに相応《ふさわ》しい一大行事だったのだから。目を瞑《つぶ》ると、楽隊の音色まで聞こえてくるようだ。

「あんなもんじゃないだろうよ」

旦那様は、威張ったように、そう言われた。

「あら、復興祭よりもすごいお祭りに？」

「そりゃ、そうだろう。だって、世界中から人が集まるんだぜ。復興祭を東京の、あるいは広げて考えて日本のお祭りと考えたとしても、オリンピックといえば世界規模だ。いままでアジアの国で開かれたことなんかないんだから、そのこと一つとっても、歴史的大事業だよ。これでしばらく日本経済は安泰だね」

奥様は、そうですか、と生返事をしながら、わたしに、夕食をとってから、恭一をお風呂に入れて寝かせてちょうだい、と指示した。恭一ぼっちゃんは、風呂と聞いて癇《かん》癪《しゃく》を起こしかけたが、寝る前にお話を読んであげましょうと言うと、いつも機嫌を直したものだ。

「オリンピックともなれば、競技場は建設される、選手を迎える施設も建設される、いい道路だって整備されるということになって、経済が活発になるだろう。日本のいいところを世界に宣伝するいい機会にもなるし、世界中の人がますます日本にやってくる、交流が盛んになる、お金を落っことしていってくれる、そういうことだよ」

「あら、いいことずくめねえ」

奥様は、わたしが剝いてお持ちしたりんごを、旦那様に勧めた。

東京でオリンピックが開かれたのは、昭和十五年ではなくて、三十九年だと、いまでは誰もが知っている。

けれど、昭和十年には、五年後には東京大会が開かれると、それこそ誰もが思っていた。少なくとも、それが開かれないとすれば、薬みたいな名前の北欧の都市に開催地を取られてしまうからだと思っていた。

わたしはいまでも、あのころのウキウキした東京の気分を思い出すと楽しくなる。

11

ところで、ここまで書いてほったらかしておいたら、甥のところの次男坊の健史《たけし》が、妙なことを言い始めた。お風呂の具合が悪くなったので来てもらったのだが、運悪く、わたしが外出中にやってきたため、合鍵で中に入った大学生の健史は、暇つぶしになんとこのノートを読んだらしい。

おばあちゃんは間違っている、昭和十年がそんなにウキウキしているわけがない、昭和十年には美濃部達吉が「天皇機関説問題」で弾圧されて、その次の年は青年将校が軍事クーデターを起こす「二・二六事件」じゃないか、いやんなっちゃうね、ぼけちゃったんじゃないの、というのだ。

人聞きの悪い、誰がぼけるものか。

だって、おばあちゃん、そのころ日本は戦争してたんでしょ、と健史は言う。

いや、事変はあったけども、と言おうとすると、健史は眉間に皺を寄せて、

「じへん、じゃないの、せんそう！　そんなのただの、言葉のごまかしでしょう」

と、怒るのである。

しかし、あのころは、日本では、「事変」はあっても「戦争」はなかったし、「戦争」といったら、イタリーとエチオピアとか、スペイン内戦のことだったんだと言ったら、

健史は心の底から腹を立てたらしく、目を剝いた。

なんと無知な大伯母かと思ったのであろう。しかし、大伯母は、健史が考えるほど無教養ではない。あのころだって、時子奥様の女学校時代のお友達の睦子さんがお勤めしていた出版社の雑誌『主婦之華』なども読んでいた。

雑誌では、世界の軍縮が話題になっていたし、「フランスとドイツ両国の婦人たちが、国民の母としての立場から手を握り合えば」国際平和が実現されるであろう、というような格調高い記事も載っていた。

満州や蔣介石《しょうかいせき》のことは、それほど目立った記事がなかったのだ。

12

二・二六は、たしかにおそろしい事件だった。

東京中が深雪に包まれたあの日の朝、政府の重要人物が何人も、反乱軍に殺されたのだから、帝都を震撼《しんかん》させたのは間違いない。

けれど、水ぬるみ、季節が変わっていくごとに、どこか遠いところで起こった事件のように感じられていった。だいいち、東京でも郊外にあった平井家では、そうした都心の大事件は、少し遠く思えたものである。

それにわたしには、二・二六事件に関して、小さな良い思い出がある。

旦那様がいつものように、お夕食の後のくつろいだ時間に、おっしゃられた。

「ともかく、一度は殺《や》られたと思われていた岡田首相が、何事も無く生きていたというのは、僥倖《ぎょうこう》だね。代わりに亡くなった義弟という人は気の毒だったが、ふだんから身代わりになってもかまわないというくらいの忠義者だったそうだ。それより、今日の号外に、おもしろいことが出ていたよ」

「あら、なんですの？」

「『決死の奉公・殊勲の両女中語る』というんだ。なにしろ、岡田首相が助かったのは、二人の女中が女中部屋にかくまったからなんだそうだ。ほらね、ここ。『ご主人は殺されたことになっていましたので隙をねらってはご主人の処《ところ》へ食糧を運ぶことができました。処がご主人のおやすみになっている処から大鼾《おおいびき》が聞こえてきました。若《も》しこれを聞きつけたら大変と二人は交互にグウグウ狸寝入りの鼾を併せて一生懸命にごまかしました』とあるよ。『府川さんは、小田原高女を卒業後行儀見習いに来て三年目であるが、秋本さんは十二年も勤めている家付きの女中さん』だって。うちにもなにかあったら、タキちゃんに鼾を頼むかな」

「いやねえ、そんなおっかない人たち、うちに来るわけないじゃありませんか」

奥様はそう、おもしろそうに笑われたけれど、お食後をお持ちしたわたしは、思わず涙がこぼれそうであった。家付きの女中というちっぽけな存在が、一国の首相の命を救ったという武勇伝が、うれしくて誇らしくてたまらなかったのだ。

そのときに思い出したのが、小中先生のところで伺った、「ある種の頭の良さ」という言葉でもあった。

そして、いかに小さな家庭であろうと、家付きの女中となったからには、なにがあってもこの家をお守りしようという気持ちでいっぱいになった。

しかし、そんなことを言おうものなら、健史は時代錯誤だと言ってわたしを非難するに決まっている。

黙って読むなんて、健史もずいぶんなことをするものだ。

ノートの隠し場所を考えねばなるまい。

13

東京オリンピックは、あの年の夏にとうとう本決まりになった。

ベルリン・オリンピックの開幕と同時に、次回の開催地、東京、というのが全世界に宣言されたのだった。

田島、原田の三段跳び、西田、大江の棒高跳び、前畑選手の二百メートル平泳ぎ。

なんという感動であったことか。

「これが、東京であってみたまえ、どれだけ玩具が売れることか！」

オリンピックの東京開催があれほど平井家で話題になったのは、旦那様のお仕事の関係からかもしれない。

オリンピックかるたとか、オリンピック双六《すごろく》とか、水に浮かすとぷっくりぷっくり平泳ぎをする遊泳人形なんていうのも、世界中に飛ぶように売れたかもしれないのだ。旦那様の会社は、きっとちゃくちゃくと準備に入っていたことだろう。

健史がなんと言おうと、昭和十年、十一年ごろといえば、わたしには思い出深い、懐かしい、平和な情景しか浮かばない。

平井家はいつも和やかで、ご夫婦仲もよく、ぼっちゃんも旦那様によくなついていた。お二人の間に、お子さんができないだけが心配の種で、それだって仲がよすぎるからだろうと人の噂に立ったりするくらいだった。

あの年の秋に、一人の青年が、家の前にイーゼルを立てて、絵を描いていたのを覚えている。

東京市を膨らませて西へ西へと延びる私鉄の、真新しい駅からまっすぐ細い坂道を上って左手の角に建った洋館は、いつのまにか隣近所の景色を変えていた。

もう一駅向こうの新興住宅地にはよく見られたバンガロー風の西洋屋敷も、あのあたりでは珍しかったのだ。こぢんまりとしているけれども風情があって、赤い屋根が目に映えるその家は、近隣の目印になっていた。花の季節には沈丁花《じんちょうげ》や金木犀《きんもくせい》が忘れられない匂いをさせたし、玄関脇の楓《かえで》と、なかなかの紅い実は、秋にはまばゆく色づいて、美しい屋根と調和した。

わたしが家の外を掃いていると、二階の窓を開けて奥様が呼んだ。風が窓を抜けて部屋に入るとき、奥様のやわらかい髪を撫でていくので、きっちり結ったはずの髷《まげ》もふわりとなびいて、それを手で押さえる仕草はなんとも優美だった。わたしは家の中で用事をしているのも好きだったし、外からその家を眺めるのも好きだった。そして、わたしのための部屋が好きだった。

たった二畳の板間をわたしがどんなに愛したか、そのことを書いても、人はおそらくわかってはくれないだろう。

第二章　東京モダン

1

甥の次男の健史は、ときどきこの文章を盗み読みしているらしい。週末、甥の家に晩御飯によばれたので出かけて行くと、健史がにやにやして、

「おばあちゃん、過去を美化しちゃだめだよ」

と言う。わたしが黙っていると、

「女中奉公が女子大みたいなもんだなんて、誰もそんな嘘、信じないよ」

と言うのである。

わたしは女中奉公が女子大学と同じだなどと書いた覚えはない。女中奉公は花嫁修業だった、と書いたのである。だいいち、わたしは女子大学で何を教えているか、そこのところをまったく知らないのだ。健史のやつ、こちらが小学校しか出ていないと思って、馬鹿にしているのに違いない。

わたしの学歴は尋常小学校卒だけれど、恭一ぼっちゃんの脚が悪くならなければ、こ

れで女学校卒の免状をもらっていたかもしれないのだ。そのことは、誰にも言ったことがないので、健史などはわたしをいいだけ軽蔑しているけれども、あのころ女学校に入るといえば、それはたいへんなことである。

あれは昭和十一年のことであったか、わたしが立ち働いている台所に時子奥様が入っていらして、こんなふうにおっしゃった。

「タキちゃん、来年から夜間女学校に行ったらどうかしら」

時子奥様はときどき人をびっくりさせるようなことを思いつく。

「あなた、雑誌の広告をため息まじりに見ていることがあるでしょう？」

わたしは驚いて口ごもった。たしかにそのころ家にあった婦人雑誌には、小学校卒業だけではこれからの世の中に取り残されてしまうから、通信で中学や女学校の勉強をして資格を得よう、という広告がさんざん出ていた。あまつさえ、苦学して女専に進んだ女中の記事なども、たびたび誌面を飾っていたのだ。

実はそれを見るたびに、恭一ぼっちゃんが小学校に上がるようになったら、わたしのように教育のないねえやでは役に立たなくなるのではないかと、ひそかに思い悩んでいたのである。

「わたし、ちょっとお友達に聞いてみたの。そうしたら、夜間の女学校で一年制のところがあるっていうじゃないの。苦学生のための学校だから、学費は無料なんですって。ちょっとたいへんだけど、タキちゃんさえ、その気なら、うちはかまわないわ。恭一も来年から小学校だし、ちょうどいいじゃないの」

わたしは心の底からうれしかった。奥様も、恭一ぼっちゃんのことを考えて、わたしにもう少し教育を受けさせておきたいとお考えになったのかもしれないと思うと、身の引き締まる思いもし、翌年には喜んで夜間女学校へ通わせていただこうと決意した。

わたしはもともと小学校の成績は悪くなかったし、勉強を続けることは憧れだった。田舎にいたころは奉公して里帰りをして嫁に出るのがあたりまえと思っていたから、そんなに強くも願わなかったが、東京のモダンな空気が、わたしにそれを強く意識させたのだ。

どこそこのお宅の女中さんは高女卒だとか、専検を受けたとか、奉公先の子供たちの勉強も女中が見ているとか、そんな記事を雑誌で読むたびに、どうしてわたしにできないことがあるだろうと、若々しい向上心が頭をもたげたものだ。

ところがその年の暮れに、恭一ぼっちゃんが高熱を出して、一週間ほど寝込み、熱が引くと今度は脚が動かなくなった。

2

あのころ、小児麻痺《しょうにまひ》くらい怖い病気はなかった。

高熱の後の、四肢のしびれや麻痺症状は、子供を持つ親たちを恐怖のどん底に突き落としたものである。平井家は大騒ぎになった。あんなにお気の毒な奥様の姿は、後にも先にもあれきり見たことがない。

わたしは以前、小中先生のお宅に奉公していたころに、日本橋のほうで開業されている小児麻痺の名医のことを、小耳に挟んだことがあった。そのことを奥様に申し上げ、奥様はご実家の大奥様を介して小中先生にお手紙を差し上げた。

奥様は小中先生の立派な紹介状を持って、わたしは恭一ぼっちゃんをおんぶして、日本橋へ、いっしょに駆けつけた。お医者様は、ぼっちゃんの脚に電気を当て、まだ反応があるから早いうちに治療すればよくなる、毎日通うようにとおっしゃった。

そこで、わたしは毎日毎日ぼっちゃんをおぶってお医者様に通ったのだが、暮れのことで、正月休みが近い。先生がマッサージの方法を伝授するから、今後はお前がするようにと言われたので仰天したが、なにしろ恭一ぼっちゃんの将来にかかわることなので、わたしは必死で按摩の方法を覚えたのである。

心臓から遠い、足先のほうから始めて、足の指を一本ずつ指先から根元へ擦《さす》ったり回したり、足の甲の骨と骨のきわをつかむように押し、くるぶし、すね、ふくらはぎ、太腿の前側、裏返してうつぶせにして、足の裏を拳《こぶし》で押して、とんとんと叩いてだんだんに骨に沿って上へ、上へ。腰やお尻も丹念に揉《も》みあげて、一通り終わると一時間もかかってしまう。

腕の力加減がちょうどいいのか、ぼっちゃんが、

「おかあちゃまのは、くすぐったい。タキちゃんのほうがいいや」

と言われて、わたしの腕の中ではおとなしく擦られている。それを終えると、ぼっちゃんは安心してお休みになる。

あるとき、時子奥様は、寝入ったぼっちゃんのお顔を見ながら、

「なにが違うのかしら」

と、困った表情で、わたしに奥様の脚を擦るようにおっしゃった。

足袋を脱ぎ、着物の裾を捲《まく》られて、同じようにやってみてちょうだいというのだ。わたしは、奥様の乳白色の肌の奥に青い血管の浮かぶ細いきれいなおみ足を膝にのせて、こうですよ、こうですよ、と実演して差し上げた。ぼっちゃんのまだ小学校にも上がらない、細い棒切れのような脚と、それはまったく違うものだったが、ともかくわたしは一生懸命、揉んで差し上げた。術を施すと、肌が透き通るように活力を持った。

「あったかいんだわ」

しばらく黙って身を任せていた奥様は、ひらめいたように顔を上げた。

「タキちゃんの手、わたしのより、あったかいんだわ」

ね、と言って、奥様は、わたしの手にお手を重ねた。ひんやりした感触を、不思議なことにいまでもときどき思い出す。

あの年は、ひたすらぼっちゃんの脚を撫でて過ごした。

恭一ぼっちゃんは小学校入学を一年遅らせることになった。お医者様がおっしゃるに

は、一年待てばかなり快復するような話だったので、奥様は、それならいっそのこと家で治療に専念させようと考えられたのだ。

平井家におけるわたしの重要度は、この一件でたいへん高まったように思う。奥様とわたしの絆も深まり、ご実家でも、社長さんの家でも、どこへ行くにもごいっしょするようになった。ぼっちゃんをおぶって差し上げなければならないという事情もあった。

夜間女学校の件はその後、誰の口からも取りざたされることはなかった。

一年経って、もう毎晩のマッサージは必要なくなっても、女学校のことを言い出すことはできなかった。その代わりというのもなんだけれど、戦争が激しくなって、女中を置くのは贅沢だといわれるようになっても、比較的長い間、わたしが平井家にご奉公できたのは、ぼっちゃんの体が弱かったことや、わたしが一生懸命手当てして差し上げたことと、関係があったように思われる。

奥様は、婦人雑誌やら、女学校時代に読んだ本やらを、しょっちゅうくださったものだった。学校に行けなかったわたしを気の毒に思って、どこかで気にしていてくださったのではないかと思う。

3

ぼっちゃんの脚のことさえ言わなければ、あの年、平井家は明るくほがらかで、威勢がよかった。東京オリンピックの準備はあいかわらず着々と進んでいたし、それと同時に行われる予定の万国博覧会のことも、旦那様はしばしば楽しげに話された。

東京が不況知らずだということは、そのころ世界に広く宣伝されていたらしい。オリンピックを前にロンドンからわざわざ飯田橋《いいだばし》の職業紹介所に求職申し込みをしてきた、少しとんまなイギリスのお嬢さんの実話などを、旦那様は、おもしろおかしく話してくださったりした。

ぼっちゃんは、わけもわからずおかしがって、

「オリンピック、アク、アリマスカラ、オシゴト、アリマセンカ〜」

と、旦那様が想像で言ってみせた通りのロンドン女性のセリフを、御用聞きの誰彼にまで真似して言っては、びっくりさせていたのを思い出す。

旦那様のお勤めしていた玩具会社は、輸出が好調で笑いが止まらないほど儲かっていたと聞いている。あまりに業務成績がいいので、その前の年に大工場を新設し、十二年の春から大量生産を開始していた。

事業の拡大に伴っての、旦那様の昇進があった。たいへんな出世だという話だった。会社の席次などは、わたしにはいまだによくわからないが、常務取締役といえば、ほぼ、社長さんの次に偉いような感じだと思う。なにかの走り書きに奥様が、「平井時子　常務夫人」と書いていたことがあった。ぷふっと笑って、それをピリピリ破いてしまわれたが、「常務夫人」という言葉の響きは、かなり気に入られていたのであろう。

ご実家の大奥様がお祝いに見えたりすると、

「あら、だって、小さな会社ですもの。たいしたことないわ」

と、手をひらひら振って謙遜されていたが、うれしくてたまらない様子がにじみ出ていたものだった。

わたしもためしに部屋で「平井常務使用人　女中タキ」と書いてみたが、たいしていいようにも感じなかった。しかし、旦那様が出世されると、偉い方とのお付き合いも多くなるので、わたしも粗相があってはならないと気を引き締めた。

「重役夫人には、少し我が家はこぢんまりとしすぎるかね」

旦那様も得意げに、そんな冗談をおっしゃったりした。

「大きかったら、タキちゃんのお掃除がたいへんになるだけよ」

「なに、かまやしない。女中は、もう一人、二人、見つけたっていいんだ。頃合を見て増築しようか」

「わたしはこの大きさが気に入っててよ。子供が増えれば別ですけれど」

奥様はなにげなくおっしゃった。

ぼっちゃんの脚のために、わたしはそれまでよりずっと奥様と近しくなった。一心同体といってもよかった。

昇進のお祝いに、京橋《きょうばし》のアラスカへお食事にお連れいただいたのも、よい思い出である。そういう特別の日には、前もって頼んでおいたハイヤーが坂道を上ってくるのだ。

旦那様はアラスカがお好きで、地方からのお客様やお祝い事があると、奥様とぼっちゃんを連れてよくお出かけになった。

ご家族の席に、わたしがお相伴にあずかることができたのは、ぼっちゃんをおぶっていくお役目があったからと思うと申し訳ないことこの上ないが、ごくまれにご家族とごいっしょした洗練された都会のお食事のことは、いくつになっても忘れられない。ナイフとフォークがどうしても苦手で、どこへ行ってもカレーライスを注文するので、カレーのタキちゃん、と呼ばれていたことも懐かしく思い出す。

ぼっちゃんの脚のお医者様が日本橋にあったため、三越の食堂で一息ついて帰りましょうと奥様がおっしゃることもあった。そんなときも、わたしはごいっしょする。ぼっちゃんが、お子様ランチを食べさせるなら医者でおとなしくすると、まことに子供らしい交換条件をお出しになることもあり、わりあいよく出かけた。エレベーターに乗って五階の食堂に到着すると、まずもう、その広いことにため息が出る。高い天井には、丸い円盤のような電灯のほかに、くるくるとよく動く扇風機がぶら下がっていて、その下に大きな長いテーブルがどっしりといくつも置かれていて、きれいに髷を結った奥様やお勤めの人々がおしゃべりしながらお食事している姿は、いつ見ても楽しいものだった。

三越の並びには、永藤菓子店という、上野のパン屋が経営する店があり、ここは奥様が女学校友達の睦子さんと会われるときによくお使いになっていた。デパートの食堂よりずっとこぢんまりしていて、品のいいお料理を出す、職業婦人の睦子さんお気に入りの店だった。ここは一階が洋菓子売店なので、ぼっちゃんと二人でお医者様へ行った帰りに、季節の洋菓子を買ってくるようにと仰せつかることもあった。

睦子さんは、女学校を出てから目白の女子大に進み、その後出版社へお勤めになったという変わり者で、あのころはヘレン・ケラー女史の来日のことでおおわらわだったように記憶している。

「見えぬ、聞こえぬ、話せぬの三重苦を負ったケラー女史が、尋常ならざる努力の末に得た強靱《きょうじん》なる博愛の精神、非常時日本の婦女子の学ぶべきところ多き偉業の数々」といった記事が、睦子さんのお得意であった。

七歳になった恭一ぼっちゃんは、ケラー女史が大嫌いで、口をとんがらかせて、

「変な顔！」

と言っては、奥様にたしなめられていた。それまでわがまま放題に育ってきて、お病気のためにつらい思いをして、不憫《ふびん》だ、不憫だとまわりがちやほやしたせいで、お山の大将のようだったのに、ヘレン・ケラーの登場で、病気だからと甘やかしてはいけない、三重苦を背負ってすら努力して世界中に希望を与える人もいるのだからと、みんなが言い出したのだ。世間が急に敵にまわったように感じられたのだろう。

とくに睦子さんは、ヘレン・ケラーの大家だから、

「小児麻痺は努力すれば治ります。ケラー女史の苦難を思いなさい」

と、会えば説教をするので、ぼっちゃんは苦手なようであった。

4

わたしの書くことを本にしたいと言っていた女性編集者は、あれきりちっとも来なくなってしまった。こちらが茨城の田舎に住んでいるから、東京からわざわざ来るのも不便ということなのだろうか。

年寄りをいったんその気にさせておいて、ほったらかすというのもずいぶんひどい。しかし、世間には、わたしよりよほど忘れられた高齢者がたくさんいるのだから、あまり恨み言を言える筋合いでもないだろう。わたしはわたしで、細々、自分の書きたいことを書いていればいいのだと思おう。

「なにを書きたいのか知らないけど、嘘を書いちゃだめだよ」

と、健史が言った。

なんにも知らないくせに、四倍も五倍も生きてる人間をつかまえて意見するとは、いい気なものである。きっと、昭和十二年といえば、盧溝橋《ろこうきょう》事件のあった年なのだから、それが華やかだなんて嘘だとか、そういう、とんちきなことを言いたいのだろう。

まあ、思い出してみれば、ヘレン・ケラー以外に、

「兵隊さんを思いなさい」

という言葉も、あのころから聞かれるようになった決まり文句だったかもしれない。

子供が拗《す》ねたり、むずかったり、聞き分けのないことをすると、だいたい誰かがこの言葉を使った。使いはしたけれども、大人のほうも、そこまで真剣に兵隊さんのことを思っているかというとそうでもなく、子供を叱るのにちょうどいいから使っていたようなところがある。

田舎の小学校の同級生の誰彼が応召したと手紙が来たりした。たいして仲がよくもなかったせいか、順番が来た、くらいにしか思わなかった。あのころはみんながみんなそうだったんだから、いちいち動揺してはいられない。それに、中ではいちばんよく知っていた近所の政吉《まさきち》は、乙種合格で補充兵だから外地には行かないだろうと言われていた。すっかり東京の生活に慣れたわたしにとって、故郷の便りはどれも色あせて見えたものだ。わたしの気持ちは完全に都会の生活に向いていて、七月に始まった事変すら、どこかお祭りめいて感じられたといったら、また健史に怒られるだろうか。

5

「近衛さんに任せておけば、だいじょうぶだろう」

首相になったばかりの近衛公爵を、ハンサムだとたいへん気にいられていた旦那様は、事変が始まったとき、たしかそんなふうに言われた。

「ええ、もう。あの方は、生まれ育ちが、そこいらへんの政治家とは、わけが違いますものね」

旦那様のおっしゃることには、必ず力をこめて相槌を打たれる奥様が続けると、旦那様は、ばかに難しい顔をして、こんなことを付け加えた。

「なにが違うって、あの人は教養が違うよ。万事につけ明朗だし、進歩的であることは疑いようもない。どうもすっきりしなかった支那情勢も、これできれいにかたがつくだろう。しかししばらくは、大変だ。いままでも非常時だったが、これからが非常時の本番だ。非常時中の非常時だ。近代戦は総力戦ということを考えれば、我々も、うかうかしてはおられんがね」

奥様が平井家に嫁がれる前の年に、満州で事変が起こって以来、「非常時」は一種の流行語ではあったが、生活するこちらがわにとっては、なにが非常事態なのかいまひとつピンと来なかった。新聞か雑誌に出ていたことを、まるっきりそのまま口移しにおっしゃっているような旦那様は、言葉に似合わず終始笑顔で、実際は、好景気を喜んでいらっしゃるように見えた。

だって旦那様の会社では飛行機やグライダーの玩具や、子供用の鉄兜《てつかぶと》が飛ぶように売れていたのだ。朝日新聞社の純国産飛行機「神風号」がアジア―ヨーロッパ間の飛行に成功して、世界中の注目を集めていたこともあって、ブリキ製飛行玩具の売れ行きはうなぎのぼり。内需だけではなくて輸出もうんと好調だと、しょっちゅう旦那様は自慢していた。会社が新しい商品を出すたびに、旦那様は恭一ぼっちゃんにお土産に持って帰る。

だから、脚は悪くても恭一ぼっちゃんは恵まれた子供だった。どこと戦っても絶対に負けないほどの戦闘機持ちだった。

持っていたのは戦闘機だけではない。小学校へ行けないぼっちゃんのために、奥様は『小学一年生』という雑誌を購入された。翌年、一つ下の子といっしょにイロハから勉強するにしても、今年始めておけば人よりよくできるようになって、脚のことも引け目に感じずにすむだろうという親心である。

わたしは、ぼっちゃんに『小学一年生』や、絵本や読本の類を読む係を命じられた。一年生の国語や算数なら、わたしも得意である。最初は、わたしが読んで差し上げて、ぼっちゃんが読めるようになったら、按摩の時間にぼっちゃんが声を出して読み、つかえたところを教えて差し上げる。わたしは、この役割がとても好きであった。

ともかく、不憫なぼっちゃんだったから、あの年の端午のお節句は、奥様のご実家のおじいちゃま、おばあちゃまもお招きして、うんと盛大に祝ったものだ。ハムライスにオムレツにコロッケに伊勢えびサラダ、桃の缶詰を使ったムースババロアにホイップクリームなど、ぼっちゃんの好物ばかり並べて、大きな声でお歌を歌ったりした。

台所のわたしはフル回転だったけれども、ケチャップで甘くしたハムライスをゼリー型に詰めてお皿に抜いてグリンピースやコーンで飾る、お子様ランチ風の飾りつけを思いついて好評を博したのが、いまも楽しい思い出として心に残る。

6

あの夏は、旦那様が社長さんの鎌倉の別荘に招かれた年になる。

社長さんは、ぼっちゃんの脚のことなどもお尋ねくださり、療養を兼ねて家族で来たらいいと言ってくださったのだ。くださったと言っても、社長さんがおっしゃることだから、半分、命令みたいなものである。

海まで歩いて七分くらいのところにある社長さんの別荘は、平井家とは比べ物にならないほど大きく、玄関に入るとマホガニーの螺旋《らせん》階段が二階へ続いているようなお屋敷だった。お庭にはビュイックという名前の、外国の車が停まっていた。応接間にはとても立派なビクターの蓄音機があって、アメリカの音楽が流れていた。

わたしは旦那様、奥様に続いて恭一ぼっちゃんを抱っこして応接間にお連れして、隅のほうに小さくなっていた。お手伝いでも言いつけてくれれば気が楽なのだけれど、社長さんのお宅には女中さんが三人もいて、わたしが動くとかえって邪魔になるのだ。だから、出されたお菓子をもそもそといただいたりしながら、神妙にお話を拝聴していることになるのだが、この社長さんの話は、アメリカの話が多かった。

「だいたい女などもですなあ、あちらの女は非常に中高《なかだか》の、鼻筋の通った美人が多い。シャーリー・テンプルも成長した暁《あかつき》には、どんなにいい女になるか、いまからちょっと楽しみでしょう。まず第一に、栄養がいいからああいったことになる。我々日本人も栄養面から美人製造を目指さにゃ、なかなか追いつかんでしょうな。河内山宗俊のセリフじゃないが、ひじきとあぶらげばかり食ってちゃ、出るところも出んし、引っ込むところも引っ込まん。ビフテキを食わにゃあ、だめです。これもまた、ぜひともバターで焼く。ここへ醤油を二、三滴落とす。そうして食ってこその栄養です」

そんなお話があって、湯気を立てたビフテキが運ばれてくるのだった。

社長さんは叩き上げの苦労人だそうだが、財をなしてからアメリカへ視察旅行に出かけて、大のアメリカびいきになったという話だった。

「アメリカ人というのは、すこぶる打ち解けた人種なんですな。昨日今日会ったばかりでも、何十年の知己のような振る舞いをする。私なぞも、シュウといきなりあだ名で呼ばれました。そういうところに彼の国の力強さを感じます」

とか、

「プロ野球なども、去年、日本でも鳴り物入りで始まったが、アメリカの大リーグと比べると、横綱と前頭三枚目くらいの違いがある。私も本場で見てきましたが、応援から何から、まあ、えらい違いでしたな。しかし、ああいったものも、流行ればいろいろと利点もある。玩具屋としては、たいへんおもしろいですよ」

といった具合であった。

「そうですねえ、アメリカには玩具に適した話題に事欠きませんな。ミッキー・マウスの母国ですからねえ」

旦那様も、もっともらしいお顔で相槌を打ち、奥様はにこにことお笑いになる。わたしは、お菓子を食べ終えて退屈し始めた恭一ぼっちゃんのために、手にした菓子の包み紙で折り紙をする。

そんなところへ、社長さんの奥様が、一人の男性を案内して応接間に入っていらした。そのころのわたしと、いくつも違わないような若い男性で、社長さんはその人の顔を見ると、やあやあと手を振ってうれしそうに挨拶をされた。

「平井君、彼がこんど、うちのデザイン部に来てくれることになった、板倉正治《いたくらしようじ》君だ。美術学校を出たてのところを引き抜いたんだ。戦力になるはずだよ」

細い銀のふちの眼鏡をかけた若い男性は軽く会釈をして部屋に入り、勧められるままに肘掛け椅子に腰をかけた。

けれども、旦那様と違って、社長さんの話に相槌を打つでもなし、まるで興味がないようだった。挙句の果てには、わたしとぼっちゃんのいる隅のテーブルの脇に歩いてきて、どっかりと腰を下ろし、ポケットから取り出した紙に、飛行機やら自動車やら、のらくろの似顔絵を描いて恭一ぼっちゃんを喜ばせてしまうほどで、実業には疎《うと》い芸術家タイプのように見受けられた。

奥様はよそ様のお宅で大騒ぎをしているぼっちゃんが気になるのか、ときどきチラチラとこちらをごらんになって、

「まあ、なんですか……」
と、口元を押さえ、意味のはっきりしない言葉をもごもごつぶやいていた。

7

社長さんと旦那様は、お仕事があるからと東京へお帰りになり、わたしも旦那様についていっしょに戻ったが、社長夫人が残られるというので、時子奥様と恭一ぼっちゃんは、二週間ほど滞在された。

ぼっちゃんのマッサージは、奥様が代わってなさったはずだ。後で聞くところによると、奥様はわざわざ手をお湯で温めながらなさったそうである。

その二週間、わたしは旦那様のお世話だけをして過ごした。

旦那様は、毎朝、珈琲《コーヒー》とトーストと卵料理を召し上がって、会社からお迎えの車がくると、行ってくるよとおっしゃって中折れ帽をかぶり、お鞄とお弁当の包みを持って出勤される。帰りもきちんと夕食時にお帰りになるので、頃合に応接間のガラス戸越しに表を見れば、ほとんど毎日同じ時間に、黒塗りの車が坂道を上ってくる。そうしたら、わたしは外に出て門を開け、お鞄と空のお弁当箱を受け取るのである。この送り迎えの会社の車は、常務取締役に昇進されてからの習慣だった。

旦那様は、まことに手のかからないご主人様だった。お召し物などは、わたしがするのを煩わしいとおっしゃって、ご自分でネクタイからシャツからお選びになる。洗っておくべきものだけを出しておいて、持っていくようにと言われるので、その通りにしていれば、こちらも失敗がなかった。

お風呂なども、お入りになれます、とさえ申し上げれば、ご自分でちゃんちゃんとなさる。按摩にお呼びになることもないし、夜が更けると、お前の仕事が終わったらお休みと声をかけてくださって、先にお休みになる。お昼や夜にお取引先とお食事がある場合には、その旨前もっておっしゃったし、なんというか、模範的な旦那様としか言いようがなかった。

それでもわたしはどこか、十九、二十歳の娘の勘で、旦那様はなにやら少し違っておいでになると思わないこともなかった。強いていうなら、匂いのようなものだろうか。出入りの御用聞きの誰彼でも、妙な例を挙げれば小中先生などでも、自然に漂わせている匂いを、旦那様はお持ちにならない。そのことに気づいたのは、あの二週間だった。旦那様からは、男の人の匂いがしなかった。ああ、そういうことだったのだと、わたしはあのときに初めて気づいた。

奥様が再婚してから赤ちゃんに恵まれなかったのには、理由があったのだと。

旦那様はわたしを、一度も変な目でごらんになったことがない。おそらく、ほかの女のことも、そんなふうにごらんになるようなことがないのだ。

それは、旦那様の沽券《こけん》にかかわることだから、わたしは絶対に口にしなかったし、これからも誰にも知らせるつもりはない。いくつかのことといっしょに、墓場まで持っていくつもりでいる。だから、もしこれをこっそり読んでしまっても、誰かに言ったりしてはいけない。

だいいちそれは、旦那様が奥様をだいじになさらなかったという意味ではまったくないのだ。愛して、というのは、昔の日本の男女を考えると、あまりしっくりくる言葉ではないけれども、とてもだいじにしておられたし、若い奥様を自慢にしておられた。

ただ、そういうことが、なかっただけだ。

あれからいくつもの家で、お手伝いなり家政婦なりの仕事をさせていただいたが、どの家庭にも誰にも知られたくない秘密がある。とくに、ご夫婦の間には、よその人にはわからない問題がある。どちらのご家庭が標準的であるとか、そんなことはまったく言えない。

わたしが長い間この仕事をしていてわかったのは、ご家庭が百あったらご夫婦の姿は百通りあるということなのだ。女中のように、あるご家庭の内々まで入って働くものが、その家の事情をおもしろおかしく吹聴して歩くなどは、あってはならない。だいいち、旦那様のことなどは、とりたてて問題にするにはあたらない。お好きでない男の方もいらっしゃる。それだけの話だ。

ただ、心の内に白状するならば、旦那様が生《な》さぬ仲のぼっちゃんをとてもかわいがっていらしたことや、家族に対して声を荒らげるようなことはけっしてなさらず、若くてきれいな奥様にたいへんお優しく接していらした理由が、ひょっとしたらそのあたりにあるのだろうかと、妙なふうに腹に落ちたのもこのときであった。

8

二週間先の日曜日に、わたしは旦那様に命じられて、奥様とぼっちゃんをお迎えに鎌倉まで出向いた。旦那様も行かれる予定だったが、お仕事の関係でどうしても無理なので、行ってきなさいとおっしゃった。

ハイカラな鎌倉駅に降り立つと、社長さんの運転手さんが黒光りしたビュイックを運転して奥様とぼっちゃんを送ってきた。わたしはすっかり日焼けしたぼっちゃんをおんぶして、朝鮮木綿のワンピースを着た奥様が車の奥から出てきて日傘を差されるのを待った。

「毎日、海に行ったよ」

ぼっちゃんが背中でうれしそうにおっしゃった。

脚の悪いぼっちゃんにとっては、浮き輪をつけての海水浴はたいへん楽しかったようだ。しばらく見ない間に少し筋肉もついたように思えた。

奥様は心づけを渡そうとしたけれど、運転手は旦那様からいただいていますと断って、帰っていった。見送ると時子奥様はふいに力を抜かれて、

「タキちゃんの顔見たらなんだかほっとしてしまったわ」

と、おっしゃった。

社長さんがお帰りになると、社長夫人は急に打ち解けて、わたしはこういう暮らしはあんまり向かなくてね、と時子奥様に愚痴をこぼされたそうだ。

町工場の叩き上げ社長についてきた糟糠《そうこう》の妻だから、別荘だのなんだのは性に合わない、工場でまかない飯でも作ってたほうが気が楽だ。お前だけゆっくりしろと言われたって、亭主が一人東京に残って浮気でもされたんじゃたまらない。あなた、吉屋信子の『良人の貞操』が映画になったの、ごらんになった？　と、ぽんぽん畳み掛けるのを、当たり障りなくかわす二週間だったらしい。

「そのくせ、来年は軽井沢にも別荘を持つかもしれないから、ぜひそちらにも来たらいいとおっしゃるのよ」

少しあきれたように奥様はおっしゃった。

別荘が性に合わないのなら、二つも三つも持つことはないだろうと思うのに、事変が始まってから大急ぎで母国へ帰ることにした外国人が、投げ売りみたいに安くしているから、いま軽井沢の別荘は買い時だ、資産として持っていても損はないと、さすが、やり手社長を支えてここまできた夫人らしく、商売上手の顔を見せるのだとか。

誰にでも好かれる時子奥様は、上手に話を合わせていらしたのだろうけれど、のびのびと過ごされたわけではなかったらしく、

「なんだかんだで、お友達と旅行に行くのとは違うから気疲れする」

と、おっしゃったのを覚えている。

「わたし、恭ちゃんと駅のベンチで少し休んでいるから、あなた、二楽荘《にらくそう》へ行ってシュウマイを買ってきてちょうだい」

鎌倉へ行くならぜひとも二楽荘でシュウマイを食べてくるようにと、睦子さんが描いた地図を頼りに、わたしは奥様とぼっちゃんを駅に残して、お土産を買いに小町《こまち》通りのほうへ行った。そうして、おいしそうな匂いをさせている大きな白いシュウマイを包んでもらって、駅まで戻ってくると、ぼっちゃんと奥様が誰かと話をしていた。

それが、二週間前に社長さんの別荘でお会いした板倉さんだとわかるまでに、少し時間がかかった。旦那様たちは一足早く東京へ帰られたのに、板倉さんがいたのは不思議だった。

奥様はわたしを見つけると、それでは、と板倉さんに会釈をなさった。

「これから東京へお帰りですか」

板倉さんが言うのを、奥様のもとに戻ってきたわたしは聞いた。

「ええ。遠出は楽しいけどもう十分。自分の家が恋しくなりました」

奥様が答えると、なにかひらめいたような表情で、板倉さんはこう言われた。

「平井さんのお宅は、あの坂の上の赤屋根でしょう」

「ええ。××線の駅で降りて、細い道を上がったところですのよ」

「帝美に通っていたころ、下宿が近くにありましたから、よく知っていますよ。勝手に写生をさせてもらったことがあります」

「あらまあ」

「すみません」

「お謝りになることはございませんのよ。よくお描きになれまして？」

「絵はたいしたものじゃありませんが、家は気に入りました。描き手が下手でも絵になりますね」

「下手だなんてご謙遜を。気に入っていただけたなら、ようございましたわ。一度、主人におっしゃって、どうぞ遊びにいらして」

板倉さんはにこにこ笑って、またポケットから紙を取り出し、ぼっちゃんに何か描いて渡した。

「板倉さんは、東京に帰らないの？」

と、ぼっちゃんが尋ねた。

「ぼくは、いまここに着いたばかりさ。鎌倉に友人がいるので、夏は来られるだけ来るんだ。去年までは夏中居候をしていたけれど、今年は会社員だから週末だけだ。勤め人てのは、窮屈だね」

そう言って板倉さんは笑い、わたしたちを人の多い鎌倉駅の構内に見送る間、ずっとにこやかに手を振っていらした。

9

こうして懐かしいことをとりとめなく書き連ねていると、健史には怒られるだろうけれど、あまり北支事変のことが思い出されてこない。もちろん、暮れ近くに、旦那様と奥様とぼっちゃんと四人で、戦勝祝いの提灯行列を見に出かけたことは、よく覚えている。

けれど、それより前というと、とりたてて何も思い出さない。

玩具の売れ行きはあいかわらずだったが、ブリキが高騰《こうとう》してどうもいけないと、旦那様が痛し痒《かゆ》しの表情をされていたことくらいか。しかしそれも事変が落ち着けば元に戻るだろうと、あのころはそんなふうにもおっしゃっていたと思う。

大はしゃぎしていたのは、普通の人よりも睦子さんで、ヘレン・ケラーで大当たりをとった睦子さんは、秋からは早速、銃後、銃後と騒ぎ始めた。

なによりもすぐに、髪型が変わった。断髪にパーマネントでモダンガールの最先端だったはずの睦子さんは、わざわざこてを逆向きに当てるほどの努力をして髪をまっすぐにし、自ら考案の「銃後髷」を結い始めた。

雑誌で働いている以上、時流を先取りしなければならないらしかった。たしかに、あの地味な髷は、それからしばらくして一般的になったが、あのころはまだ、時子奥様なども、きちんとこてを当てた髪に椿油をスプレーして美しく髷を整えていらしたから、ひっつめの睦子さんは少しやりすぎの感じがした。

「やあねえ、それ、ちょっとどうなの？」

遊びにみえた睦子さんに珈琲をお淹れして玄関脇の応接間にお持ちすると、おしゃれな時子奥様がそんなふうにからかっていらっしゃるのをお見かけしたこともあった。

「あら、だめ？　これ、銃後髷よ」

「なによ、それ。名前も変だわ」

「ま。奥様は意識が低くっていやねえ。近代戦は総力戦だってのに」

「宅の主人もそれ、言うわよ。近代戦は総力戦って。なにそれ、どういうこと？」

「だからね、昔の戦争は、男がドンパチやってりゃよかったの。だけども、この二十世紀の戦争は、諜報戦やら経済戦やら宣伝活動やら、もう、生活そのものが戦争だってわけ」

「なんだかよくわからないけど、それと、髪型とどう関係があるのよ？」

「ようするに、兵隊さんだけじゃなくて、市民も巻き込まれるのが総力戦てことよ。事変が始まってから物価が上がってるでしょ。そういうのやなんか、みんなそうなのよ。だから、銃後も前線と同じくらい、がんばって戦わなきゃいけないってこと。第一次大戦でドイツが負けたのは、ひもじさに耐えかねて女たちが銃後の守りを放り出したのが原因だというの。そうなってはならないから、銃後は万全という、その決意を示すのが、銃後髷なんじゃないの」

「わかったような、わからないような説明だけれども、まあいいわ。それならあなた、前髪だけでもちょっと工夫したら？　それじゃあ、まるで」

プッと、時子奥様は噴き出した。

「なによ。お言いなさいよ」

反対に、睦子さんは眉間に皺を寄せる。

「……ヒルさんみたい」

「え？　なに？」

「ヒルさん。体操の」

「え？　やだ、ヒルさん？　似てる？」

そう言うと、なにやら憑《つ》き物がついたみたいに、お二人は笑い出し、体を折って折って、おなかを抱え、涙を流し始めた。

「ヒ・ル・さ・ん！」

と叫んでは、テーブルをどんどん叩いて笑う。こういうのは、同じ女学校へ通っていた者同士でないと、意味がわからない。わたしにはまったく理解できなかったけれども、どうもヒルさんというのは、お二人の女学校時代の体操の先生で、なんだか変な髪型の人だったらしい。

ひとしきり笑うと、奥様は珈琲のおかわりを召し上がるとおっしゃり、睦子さんがお持ちになった洋菓子の包みを開けて、ぼっちゃんともいっしょにおやつにされた。

たまに睦子さんが見えると、女学生時代を思い出すのか、ことのほか時子奥様はいきいきされて、ほんとうに娘に返ったように楽しそうにしていらした。

「あなたがそういうふうなの、職場のせいだわ。このごろ『主婦之華』、事変特集ばかりだもの。新聞だって、どこそこを占領しただの、肉弾が六勇士になったり十勇士になったりだの、そんなのばっかり。読むとこ、ないわ。このごろ読んでおもしろいの、〈わかもと〉の広告くらいだわ」

「あらやだ、時子さん、あなた少し不真面目よ」

「そんなことないわ。わたしだって、千人針なんか、あっちこっちでいくつもやってよ。そういうところじゃ、一生懸命よ。だけど、それと読むものとは違うわよ。今月、わたし、『婦人之華』に浮気しようかと思っちゃった」

「『婦人之華』の、どれがよかったのよ」

「元フランス大統領の『結婚こそ幸福』とか、松林イヴォンヌの『乙女のはかなき』とか。『結婚詐欺師の手記』なんかも惹かれたわね。あなたのほう、『戦死軍人の妻の涙の手記』とか、なにも事変が始まったばかりで『未亡人読本』なんて付録つけなくてもねえ」

「ふん、あっちも来月号はきっと時局ものになるわよ。うちよりか、出遅れたのよ」

「あらそう？　ねえ、それより、〈レートクレーム〉、ほんとにいい？」

「いいって、あなた、婦人病に〈中将湯〉がいいようなもんで、いいと思やあ、いいでしょうよ」

「なによ、あなた、不機嫌になっちゃって。原節子が『新しき土』でドイツに行ったときに、先々で色の白さと肌理《きめ》こまやかさを褒められたのは〈レートクレーム〉のおかげって、どっかで言ってたわ」

「そういうの、わたしみたいなのが書いてるのよ。原節子がほんとに言ったわけじゃないのよ」

「え？　ほんと？」

「そりゃ、そうよ」

「わたし、ほんとに言ったと思った」

「肌だったら、とっときのがあるわ。オートミールをすりばちで細かにして粉ミルクと硼酸《ほうさん》を一つまみずつ、もみの袋に入れて水で濡らして揉むの。それで、ぬるぬるが出てきたところで顔をこするの。一発よ。名士の奥さん取材で、すごくきれいな人に聞いたの」

「あら、やってみようっと」

「あいかわらず、時子さんは、どうやったらきれいになるかに熱心ねえ」

そう、ヒルさん髷の睦子さんがあきれると、

「ね、せっかくだから、お夕飯、食べてって」

と、奥様は、この仲良しの独身職業婦人を引き留めるのだった。

変ねえ、ちっとも似たとこないのに、不思議に睦子さんとは気が合うのよ、と、いつだったか奥様がおっしゃったことがあった。たしかに見かけもご気性も正反対のようなお二人だったが、その仲の良さはおそばにいてもうらやましく感じられるほどであった。

10

結局のところ、事変と昭和十二年といって思い出されるものは、十二月の戦勝のお祝いにつきる。

だいたい、十二月に入った頃から少しずつ、それまで張り詰めていたものが緩むような、明るい日が差すような雰囲気があって、さあ、もう年の瀬、来年の準備に忙しくなる、という楽しい気持ちが、冷たい、澄んだ空気の中に、浮かんだことをよく覚えている。

あの日は、ぼっちゃんと奥様と連れ立って銀座へ出かけた。

大通りへ出て流しのタクシーを拾うと、運転手も陽気で、

「五十銭で行きまさあ」

と、うれしげに請け負った。

ボーナスまではまだ少し間がある時期だったけれど、歳末の大売出しに戦勝セールが

加わったとあって、銀座はたいへんな人出だった。

タクシーを降りると、ぼっちゃんが歓声を上げた。

銀座中のビルというビルがすっかりお化粧を済ませて、デパートの角々に大きな日章旗が下がり、屋上には「祝南京陥落、歳末大売出し」のアドバルーンがそよぎ、沿道を埋めた人も手に手に旗を持って振り仰ぐ。

帝都をゆるがすばかりのブラスバンドの響きに万歳の声、それはもうたいへんなお祭り騒ぎで、そんな中、奥様はテンポよくお歩きになり、

「この人ごみじゃあ、思ってたもの全部買うのは、今日は無理ね。ともかくお歳暮と慰問袋に入れるものだけでも済ませとかないと。食堂へも行きませんよ、恭ちゃん。あんまり人が多くて、入れそうにないもの。それよりもお夕飯の後で提灯行列を見に連れて行ってあげるわ」

と、きびきびお買物を済ませられた。

社長さんに、お仲人の小中先生に、ご実家に、旦那様のお郷に、それぞれお好きなもの、お邪魔にならないもの、おいしそうなものなどを選んで、すっかりお支度を整えられると、荷物があるからまたタクシーを拾いましょう、と奥様はおっしゃって通りへ出た。

空には尾翼に紅白の布を翻《ひるがえ》す堂々たる飛行機が二十機以上も連なって飛び、「祝皇軍南京入城」の祝賀ビラを、雪のように白く降らせているのだった。

郊外の家に戻ると、すっかり疲れたぼっちゃんはお昼寝をすることになり、奥様はお買物の整理やら家計簿つけやらでお忙しくされていたので、夕御飯の準備はわたしがしたのだと思う。

あの日は、いつもより夕食を早めにされた。会社から少し早く帰宅された旦那様も、うれしげにしておられた。

「今晩は少し、燗《かん》でもつけてもらおうかな」

そう、旦那様がおっしゃるのも、珍しいことだったので覚えている。

「あら、お珍しい。なにか、ありましたの？」

「なにかって、おかあちゃま、皇軍勝利に決まっているよ！」

小さなぼっちゃんがおっしゃり、旦那様と奥様は笑い出した。

奥様が目で促すので、わたしはお勝手に戻って、旦那様のお好きな菊正をお銚子に七分めまで注いで、お猪口《ちょこ》といっしょにお持ちする。火鉢にかかった鉄瓶にお銚子を沈めて、ぬる燗の番をなさるのは奥様で、その間にわたしはお勝手にとって返して、つまみを見繕《みつくろ》う。旦那様はふだん、お一人での晩酌はあまりなさらない方だったが、召し上がるときにはご飯のおかずではなくて、ちょっとしたおつまみを好まれる。

お晩酌用になにか用意しているわけではないので、あるもので工夫して、小さく切って焼いた油揚げに山葵《わさび》漬けを詰めてお醬油をひと垂らししたり、缶詰のコンビーフをサイコロに切って、お葱といっしょにちょっとあぶったりして、お膳にお持ちするとちょうどよい頃合に、お燗がついているのだった。

「これでどうやら、支那のごたごたもおしまいになるだろう」

旦那様は、おいしそうに杯を空けられた。

「そうですわねえ」

にこやかにお酌をなさる奥様は、女のわたしから見てもなまめかしくて、たまにごいっしょに召し上がるときなどとくに、ほんのり頬を染められた時子奥様は、たいへんお美しかった。

「事変の終結が東京大会開催のまず第一要件だからねえ。これ以上長引いちゃ困ると思っていたよ。来年の三月までに終結すれば安心という話だったが、このぶんなら、年が明ければそういう方向に行くだろう」

「あら、それ、オリンピックのことですの？　開催は、決まったんじゃないんですの？」

「うん、決まったは決まったんだがね。競技場の建築には最低二年を要すると考えた場合、来年の春には政府がその気になって予算を割いてくれないと、現実にならん可能性があるんだ。東京市のほうは、やる気でいっぱいなんだが、市だけの予算ではこれは、すすめられんからね。社長などは東京市議会にも顔が利くから、盛大なものにしてほしいと、かなり運動しているらしい」

「でも、こうしてあなたがお酒を飲んでいらっしゃるということは、その心配もなくなったということでしょう？」

「まあ、おおかただいじょうぶだろうね」

「ねえ、あなた。お正月の熱海、どうしましょう」

「うん？」

「去年は、恭ちゃんの脚がたいへんで、取り止めにしなきゃならなかったでしょう？　今年もどうしようかと思っていたけれど、やっぱり行きたいわ」

「いまからで予約が間に合うかな」

「三が日を過ぎてから二泊かそこいらだったらだいじょうぶよ。行きましょうよ」

「そうだな。恭ちゃんの脚にもいいだろうな」

「あなた、会社お休みできて？」

「調整してみよう」

「あら、うれしい。それとねえ、あなた。戦勝大売出し、暮れまで続くでしょう？　わたし、お正月の着物、やっぱり仕立てようかしら」

「まだ仕立ててなかったのかね？」

「今朝ラジオで『夏以来、非常時財政で財布の紐を固く締めていた方も多いと思われますが、このたびの南京勝利でお召のひとつも仕立てたいと思うのは人情。あまり柄が派手でないものなら、かまわないでしょう』と言っていたのよ。だからわたし、今日も三越で迷ったんですけれど、あなたに何のご相談もしないのは気がひけて」

時子奥様はおねだりの仕方も上手だったし、旦那様はそんな奥様がお可愛くてならないご様子で、こういうのが失敗したためしはない。

夕飯の後、少しのお酒でもご機嫌になる旦那様とご家族とごいっしょに、また街へ出て提灯行列を眺めた。

ぼっちゃんは興奮のあまり、その日、日の丸の旗を抱いてお休みになった。

11

今年も年末が近づくが、年の瀬、というものが、だんだん味気なくなってくるように思う。街へ出れば盛んにジングルベルが鳴って、建物もきらびやかに化粧をするけれど、お正月を迎える前の、せわしなくも心躍る感覚は、もう感じられなくなって久しい。わたしが年を取ったせいなのか、世の中が変わったからなのか、よくわからない。

先日、甥のところに夕飯をよばれたが、そのときに、

「わたしたち、年末から、日本にいないんですよ」

と、甥の嫁に言われた。

大晦日《おおみそか》からハワイに行くのだそうだ。昨年嫁にいった娘と婿が、二家族いっしょにと誘ってくれたと、ばかに嬉しそうにしている。こういうとき、おばあちゃんもいっしょにとは、けっして言ってくれない。言われても行こうとは思わないけど。

健史はハワイには行かないが、バイク友達と初日の出ツーリングだそうで、これで、わたしの正月は一人と決まったらしい。べつに、さみしいとも思わない。誰かといっしょにいたからといって、さみしくないとも限らないのだ。

夕飯の後に、健史がバイクで家まで送ってくれた。

重たいヘルメットを頭に載せられ、健史の胴回りにかじりつくようにしてオートバイに乗るのは、毎度のことながら恐怖である。

家にどら焼きの買い置きがあるから部屋まで来るかと訊くと、マンションの入り口で帰ると言っていた健史が食べ物に釣られてついてきた。お茶を淹れ、文明堂の三笠山を二つばかり盆に載せて茶の間に戻ってみると、健史は、うっかり出したままになっていた私のノートを読んでいた。

そして若いくせに辛気臭い表情で、アクマのようだと言うのである。

アクマ？　と問い直すと、

「悪魔じゃなくて悪夢って言ったの。南京じゃあ、大虐殺が起こってたのに、東京では戦勝大セールのアドバルーンが上がってたってことでしょう？　西武が優勝したときの西武デパートみたいにさ。もっとすごいのか。なんとも言えないよ、こういうのって。どら焼きは要らない。食う気、なくなった」

わたしは拍子抜けしたが、帰るというのだから仕方がない。

玄関で、健史は思い出したように言った。

「おばあちゃんが正月におせち食べたければ、一人ぶんコンビニで予約しとくって、母ちゃんが言ってたけど、どうする？」

12

暮れ、のことを書こうと思っていたのだ。

年の暮れは、いまと違ってそれはそれは忙しく、障子の張替えから始まって、カーテンや椅子カヴァーのお洗濯、お勝手の床下や天井や鴨居の掃き掃除、壁掛けの清拭きと、ふだんは手をかけないところを、丁寧に大掃除する。

ガラスは酢を混ぜた水、畳は硼酸入りのぬるま湯、油染みた台所の什器《じゆうき》やガラス戸は粉石鹼を溶いた水で拭いて、それをまた酢水で拭き直して、から拭きをしてと、手をかける。

お正月の献立作りに間に合うように、お餅や乾物やお野菜を、出入りの御用聞きに発注するのもわたしの仕事だった。やりくりのコツはこのころに覚えた。無駄のないように、お正月の間に使い切るように、しかし足りなくて困ることのないように、よく考えて注文するのである。

お肉とお魚は足が速いから、大晦日の朝届けてもらうようにする。

もちろん、奥様はもう一度戦勝セールへお出かけになり、綸子《りんず》の訪問着を誂《あつら》えられた。

三越の呉服部の懇意の方に、なんとか大晦日までに仕立てて届けてくれるように念を押されたそうだ。それ以外にも、旦那様のワイシャツや肌着など、買いおかなければならないものがたくさんあるから、奥様は外回りのお仕事、わたしは内向きのことに専念する。暮れのご挨拶なども、奥様はしゃきしゃきと回っていらした。

クリスマスが近づく頃に、オリンピック東京大会の日程が正式決定して、旦那様の表情が、ひときわやわらいだ。クリスマスイヴにはまた、奥様のご実家からおじいちゃま、おばあちゃまがみえて、ぼっちゃんを中心に楽しいクリスマス会をなさった。

暮れも押し詰まると、家事は本番である。

数の子は二十七日の朝から水に漬けて塩抜きをする。味付けは大晦日だけれど、塩抜きが甘いとしょっぱくて食べられない。

なにもかも大晦日では大変だから、二十九日には伸《の》し餅を切り、三十日には黒豆やごまめを煮て、おなますなどの保存の利くものも作っておく。そうしておいて、鏡餅のお飾りやら、玄関の輪飾り、お正月用のお花や盆栽を買いに出かける奥様のお供もする。

大晦日は朝からフル回転だ。敷布、布団カヴァー、下着類や靴下など、洗い残しのないようにお洗濯をする。お玄関先では、旦那様が仕事師に指示をして門松を立てる。

午後からはお料理の本番が始まる。これは奥様と二人がかりでお支度に励む。

できあがった伊達巻やら昆布巻やら錦玉子やらきんとんやらを、お重に詰める前に粗熱《あらねつ》を取る間にも、お三方にうらじろとゆずり葉と昆布と橙《だいだい》でお化粧した鏡餅を載せ、床の間に松竹梅の軸を掛け、応接間の花をお活けになる奥様のお手伝いをしながら生け花の勉強もする。

旦那様は散髪にお出かけになるが、お帰りになって夕方早いうちにきっと「お風呂」とおっしゃるから、こちらの準備も怠《おこた》りなくしなければならない。

年越しそばの注文は、早めにしないとなかなか持ってこないばかりか、持ってきたときにはそばが伸びていたりするから、夕御飯に間に合うように声をかけておく。おそばをいただいたら、おせちのお重を詰める。彩りよく、おいしく見えるように配分には気を遣う。

台所の仕事が片づいたら、最後の大掃除だ。とくにお風呂やご不浄などは、汚れていると福が逃げるというから丁寧にお掃除する。

旦那様のモーニングはブラシをかけて衣紋《えもん》掛けに、奥様の晴れ着を乱れ箱に入れ、ぼっちゃんのセーラー襟のよそ行きも皺がつかないように小さなハンガーに吊っておく。

お元日はいつもの居間ではなくて、洋室の応接間でお屠蘇《とそ》を祝われるから、テーブルセッティングも整えておく。お玄関には松の盆栽を置き、新年のお祝いにみえる方のための名刺受けがわりにお盆を置いてと、めまぐるしく働く間にも、ぼっちゃんの脚をマッサージして差し上げなければならない。

やっとお家のことが片づいて、旦那様と奥様にご挨拶をしたら、わたしは二畳の部屋に戻り、そっと風呂敷を開くのである。

そこには、奥様からいただいたお下がりの銘仙が入っている。数日前からこつこつと、正月用に仕立て直しているのだ。わたしもお正月には新しい着物が着たい。奥様の下さるものはお品がいいから、着ていてとても気持ちがよかった。

最後の仕上げをしているうちに、除夜の鐘を聞くことになる。二時、三時までかかることもあったけれど、自分のために割くこの時間が、わたしは好きだった。

こうして昭和十二年は、暮れていった。

板倉さんが、「赤屋根の洋館」を訪ねてみえたのは、年が明けたお正月のことだった。

第三章　ブリキの玩具

1

甥の一家が総出で旅行中なので、今年の正月は、どこも行くところがない。甥によばれて移り住んだ茨城には知り合いもいないし、田舎に帰ったって誰一人知った人は生きていないし、東京へなぞ行く気も起こらない。あっさりした雑煮を作って食べて、それきり正月らしいこともせずに終わった。ごぼうが山ほど入る田舎風の汁に、焼いた餅を入れる東京風の折衷雑煮で、こんなのを食べているのは、日本中にわたし一人ではないかと思う。

甥の次男の健史もいない今こそ、わたしの回想録も筆が進むように思って書き始めたが、どうしたことだろう、あの子がこれを盗み読みしていると思えばこそ書いておきたいこともあったが、誰も読んでくれないとなれば、書く気がだんだん失せ始めた。

しかし勇気を奮い起こし、新年の書初めのつもりで、思い出してみることにする。

昭和十三年、昭和十三年、ぼっちゃんが小学校に入学した年。

念仏のようにそう唱え続けていると、唐突にわたしの頭の中で、ある曲が威勢よく鳴り響きだした。

「みーよとうかいの、そーらあっけって。きょーくじつたっかっく、かーがやっけっばあ」

そう、『愛国行進曲』である。あの年は、ラジオをつけさえすれば、あれが響いていた。ぼっちゃんが小学校へ上がるようになって、最初のお遊戯会のために覚えさせられたのも『愛国行進曲』だった。

わたしはふと姿見の前に立ち、まだ踊れるかどうか試してみる気になった。

この正月に、そんなことをする人間も、日本に一人きりと思うと、なんだかおかしい。敬礼をしながら、ラーラーラララララ、ラララーの前奏をやり過ごし、「見よ東海の空あけて」で、右手左手とぶんぶん回す。「旭日高く」でその場足踏み、「輝け」でおじぎするようにして両手を前で交差し、「ぱ」でパッと両手を天に向かって開き右足をぽんと前に出す。「天地の正気《せいき》溌剌《はつらつ》と」は、どうやるのだったか。「希望は躍る大八洲《おおやしま》」は。

あんがい、覚えていないものだ。あんなに練習したものだったのに。

脚が悪かったせいで、あまり運動をしないで育ったためか、ぼっちゃんはダンスなどの覚えが悪く、学校でみんなより動作が遅れると、泣いて帰ってきたのだった。そこで、ぼっちゃんが学校でもらってきたガリ版刷りの教本を見て、わたしが先に踊り方を覚え、猛特訓に励んだのである。

歌のほうは幸いにして、ラジオですっかり覚えていたので、平井家にはわたしとぼっちゃんの混声合唱による『愛国行進曲』が響き渡り、二階はさながら舞踏レッスン場と化した。

こう書くわたしの頭にも、あのメロディがすっかり甦《よみがえ》り、今度はひっついて離れなくなった。覚えやすいことはいいけれども、覚えたが最後、ひっきりなしに頭の中に鳴り響いて、だんだんうっとうしくなってくるのは、昔とまったく同じである。

2

あのころのお正月は賑やかだった。

門松が立ち、日章旗が立ち、晴れ着の人々が風呂敷包みを抱えて行きかう。

あの年、奥様が楽しみにしていらした熱海行きは、結局宿が取れずに取りやめになった。なにしろ予約の電話を入れたのが遅すぎたし、旦那様の仕事始めの四日も平日で、三が日過ぎには休みが取れなかったのだ。

その代わりに、元日、二日はご挨拶回りに初詣と外出が続き、賑やかなことのお好きな奥様はことのほかいきいきされた。ふだんは洋装の多い奥様が、松竹梅柄の綸子《りんず》の訪問着に、薬玉《くすだま》を大きくあしらった黒いお羽織をお召しになって、いつもより丁寧にこてを当てた黒髪を椿油でつやつやさせながらお出かけになる姿は、見ているこちらも心が浮き立ったものである。

三日は旦那様のお取引先の方が次々にご挨拶にいらして、しかもその日は板倉さんの飛び入りもあり、お勝手のわたしもてんやわんやだった。

もちろん、正月とはそういうものと決まっていたから、玄関に鍵もかけなかったし、誰が訪ねてきても対応できるようにと、あらかじめ多めのお料理を拵《こしら》えていたものだ。おせちばかりでは飽きてしまうので、ねぎを添えた鴨のつけ焼きとか、旬の鯖をから揚げにして南蛮漬けにしたものなど、少しばかり日持ちのする、目先の変わったものを用意しておくと、とくに男のお客様には喜ばれる。

お取引先の方々は、旦那様となにやら真剣な表情で仕事のお話などをなさった。

南京陥落直後のお正月はみんなの気持ちが前向きで、

「先を見て、先を見て進むのがビジネスの極意ですからなあ」

とおっしゃる旦那様は、この戦勝景気に乗って売れるはずの商品のことなどを、熱っぽく語られたが、そういう決意表明のようなものは、仕事をしていない人間にとっては、あまり興味の持てる話ではない。

男の方が集まればそうしたものだろうとは思うものの、仕事がらみのお話ばかりに、奥様は少し退屈されたご様子で、お年玉をいただいて二階に上がったぼっちゃんを見にいらしたり、お勝手のわたしのところにふらりと現れたりした。そして、

「なにも休みのときからあんな話をしなくてもいいわねえ。明日には会社の応接室で、おんなじ話をするに決まっているんですもの」

と、憎まれ口を利いたりされた。

夕方近くになって、板倉さんがひょこりと顔を出したときの空気は、それとはまったく違っていた。帝美時代に世話になった下宿の老夫婦に年始の挨拶に来た足で寄ってみたという板倉さんは、どこかまだ学生くささが抜けていなかった。

資生堂の花椿ビスケットを手土産に提げていらして、

「ぼくは甘いものは食わないんですが、このビスケットはデザインがいいから、つい買っちまうんです」

と言ったあたりまではよかったが、応接間で旦那様といっしょにお屠蘇を祝った後は、かえってなんだかそわそわと落ち着かない様子だった。

「このまま支那情勢が安定すれば、戦勝機運の国内向け商品に限らず、かの大陸の子供らに対しても積極的に打って出る策を考えることになりますからなあ。これはまあ、ものすごい数ですよ、その市場はね。無尽蔵といってもいい。広いですから、大陸は。もちろん、二年後の準備を着実に進めながらですよ。その点、板倉君などの若い力には、自然、期待もかかります。ひとつ、よろしくお願いしますよ」

といったような旦那様のお話には、板倉さんは、

「はあ」

と、気の抜けたような返事しかしなかった。旦那様の「二年後の準備」というのは、もちろんオリンピックと万国博覧会で売るべき玩具の研究と製造のことである。

けれども、二階からブリキの飛行機を手に下りてきたぼっちゃんを見るなり、板倉さんは救われたような顔になって、

「やあ、いいのを持ってるなあ。きみ、ひとつ、案内してくれよ。ぼくは前からこの家に上がってみたくて仕方がなかったのさ」

と言った。

「まあ、おっしゃってくだされば、ご案内しましたのに」

奥様が噴き出すような顔をなさると、

「いや、いいんです。恭一君のほうがいいんです」

と、顔を真っ赤にして、恭一ぼっちゃんを追い立てるようにして二階へ上がってしまった。

ぼっちゃんを案内に立てて、家の中を見て廻ることにした板倉さんは、二階から下りてきてあらためて玄関のステンドグラスを目に留めて、しばらくじっとそれを眺めていた。

それはたしかに、見る者の足を止めずにはおかない見事なもので、こうしていまも目を閉じると、表の光を透かして色鮮やかに浮かび上がる泰山木《たいさんぼく》と大きな白い花が思い出される。左に大きく茂る木があって、右下に伸びた枝の先にちょこんと青い鳥がとまっているのだった。

板倉さんは手に小さなスケッチブックを持っていて、ナイフで削った鉛筆で見たものを正確に写生していくのだが、それが驚くような速さなので、ぼっちゃんは歓声を上げて喜ばれた。

デザインを勉強しているような人は、目に留めるものも他人と違うものか、広縁の網《あ》代《じろ》天井やら、丸い笠の照明器具やら、建具金物の類までも、すっすといくつか線を引くだけで正確に描きとっていくのだ。この調子で、すでに表のポーチやら屋根の勾配やら、棟飾りもスケッチしてしまっているようだった。

しまいにはお風呂やらお勝手まで見たいと言い出したのには、わたしは少しびっくりしたが、時子奥様は鷹揚《おうよう》で、あらかまいませんわよと笑い、なんなら図面もお見せしましょうかとおっしゃると、板倉さんは真顔で、

「ええ、ぜひにも」

と目を輝かせた。

「ほんとはちょっと建築がやりたかったんです」

おせちをつまみながらお酒を少し召し上がると、舌が緩んだか板倉さんは、そんなことを話し始めた。

「母方の祖父が宮大工だったので、建物には子供のころから興味がありました。だんだん、デザインのほうに関心が移ってはきたんですがね」

お国は弘前だかどこかで、高等工業に入るために上京してからは、ずっと東京で、そ

の後、帝美に入られたが、故郷に帰ったのは何年か前の徴兵検査のときがずいぶん久しぶりだったと、そんなことを話された。

「まあ、検査を。それはご苦労さまでした」

昼間のお客とはうってかわって、奥様はいきいきと会話に加わられ、うっかりすると旦那様のほうが、日中の疲れが出たのか弱いのにたくさん召し上がりすぎたのか、舟を漕ぐような有様だった。

「いや、でも、ごらんのとおり、たいして体格もよくありませんしね。視力と気管支が弱いこともあって、残念ながら丙でした」

「丙種じゃ兵隊さんになれないじゃないか」

恭一ぼっちゃんがすっかり馬鹿にした声を出し、奥様がたしなめるような怖い顔をされたのを覚えている。いったん口が滑らかになると、板倉さんは話し上手で、お夕飯の時間まで、ご家族は楽しげに語らっていらした。

板倉さんは、音楽や映画がお好きで、年の暮れに封切られて評判になっていた『オーケストラの少女』の話をした。

「ぼくはシャーリー・テンプルみたいな映画は好きじゃないんで、お子様向けなんじゃないかと思ってたんですが、なかなかどうしてこれが、泣かされる映画なんですよ。恭一君を連れてぜひ観にいらっしゃるといい」

パッツィ役のなんとかいう女の子の声も美しいが、やっぱりストなんとか、ストコイビッチだったか、ストコフサレコフだったか、わたしは名前をよく覚えていないが、そういうような名前の有名な指揮者が本人役で出ていて、その人の振るオーケストラを聴けるのがすごい、あれは大人から子供まで、万人が楽しめる映画ですよと、馬鹿に熱心な解説をした。

「あら、その、ストなんとかさん、そんなによくって？　板倉さんはお詳しいんですのね」

「ぼくは、ジャズよりクラシックのほうが好きなんです。実は、建築かデザインか悩む前には、バイオリンをやろうかと思ったくらいです」

「まあ、ほんと？」

奥様が目をまんまるにして驚かれると、板倉さんは悪戯っ子のように笑って、

「弓を握ったこともないですけどね」

と言った。奥様もぼっちゃんも大笑いして、寝ていた旦那様が起きられたほどだ。

わたしは奥様と目で合図を交わして、頃合を見計らい、炊き立てのごはんとお味噌汁に香の物、さっぱりした大根おろしに鰹節で和えた数の子を切って載せたものなどをお持ちした。お酒と甘い物の多いおせちの締めには、あっさりしたお膳が欲しくなる。

それ以来、板倉さんは、たびたび平井家を訪れた。

あの正月が初めて訪ねてみえた日と思うと、なんだか不思議な気がする。

十五日の小豆粥《あずきがゆ》が過ぎて、お正月の喧騒が終わると、奥様は必ずわたしに、

「タキちゃんも一日、のんびりなさいよ」

と、お休みを下さるのだった。

藪入りといっても、今とは違って田舎は遠い。わたしも奉公に出たばかりのころは、たいへんな思いで里帰りをしたり、春日部《かすかべ》に住んでいる親戚の家を訪ねて、故郷の便りを聞いたりもしたが、そうくつろぐこともできなかった。

だからいつのまにか、どこへ泊まりにも行かなくなったが、それでも奥様は丸一日わたしを自由にして、遊んでいらっしゃいと送り出してくださるのだった。

合羽橋《かっぱばし》の卸《おろし》問屋に奉公に出ていた幼馴染と待ち合わせて、浅草にお汁粉を食べに行った。幼馴染はそのまま女剣劇を見に行きたいと言ったが、わたしはあまりそういうのは好きではなかったから、ちょっと揉めたのを覚えている。

行ぎたぐね。

と言うと、幼馴染はとてもびっくりした。

この幼馴染は少しいばりんぼうで、なんでもかんでも自分で決めなければ気のすまない人だったのだ。

おもしれって。行ぐべ。

わたしはそれまで、いっしょにいるときにはたいてい幼馴染の機嫌を損ねないように、自分の考えを言わずに合わせていた。それがこのときなぜだか急に嫌になって、頑《かたく》なになったものだから、相手も少し意地になった。

他に、してぇこと、あるべか。

わたしは板倉さんが奥様とぼっちゃんに薦めていた映画を見たいような気がしていたのだが、そんなのは気取っていると友達に言われそうな気がして、なんとなく黙った。幼馴染は機嫌を悪くして、お汁粉を食べた後、一人で女剣劇に行ってしまった。

『オーケストラの少女』は大ヒットして、奥様に連れられて観に行かれたぼっちゃんの将来の夢は、「世界的な指揮者になること」になった。

3

あの年、二年後の万国博覧会の入場券が発売になった。

三月の半ばのことで、寒い日だったように覚えている。氷雨の降る中を、旦那様自らが長い列に並んで、十二枚一綴りが十円もする券を買っていらした。十円といえば、わたしのお給金の三分の二だから、そう安くはないと思うけれども、なにしろ富くじが付いていて、一等になれば二千円だったかいくらだったか、家一軒建てられるような大金が当たるので、みんな熱くなって買いに走り、あっというまに売り切れてしまった。

旦那様はその券を綴りごと桐の箱に入れて、紫の袱紗《ふくさ》で包んで神棚に上げ、五月に発表されるという一等の発表を心待ちにしていらした。箱にしまった形でのみ、家族にお見せになるばかりで、ぼっちゃんはおろか、奥様にさえ、触らせないようにしていらしたのがおかしかった。なんでも実際の万博は二年後だから、なるべく当たりの確率が大きいように多めに買っておいて、入場券じたいはお祭りが近づいてからだって転売できるという腹だったらしい。

結局、五月の発表で、当たりくじを逃したことが判明したけれど、旦那様は、そうがっかりもなさらずに、おもしろそうに笑っていらした。夢を買うというあの感覚のうれしさは、わたしのような者にもほのかに伝わった。

ぼっちゃんなどは、しょっちゅう「宝くじつきの券」を作って遊んでいた。

ちょうど入場券発売と同じころに、オリンピック東京大会の開催が正式に決定した。万国博覧会の半年後ということで、

「皇紀二千六百年にあたる再来年のお祭り騒ぎは、世界中を巻き込んでたいへんなことになるよ」

と旦那様はおっしゃった。

それからまもなくして、札幌での冬季オリンピック開催も正式に決まったと、これも旦那様が大喜びで奥様に報告されたのを聞いた。

「え、なんですの？」

奥様は素《す》っ頓狂《とんきよう》な声を上げて驚かれた。

「だって、東京オリンピックは東京でやるんじゃないんですの？」

「そりゃそうさ。東京オリンピックは東京さ」

「あらじゃあ、札幌では、なにをするんですの？」

「冬季オリンピックだよ！」

「え？　だって、東京オリンピックは東京でやるんじゃないんですの？」

「なにをさっきから。札幌でやるのは、冬季オリンピックだよ」

「え？　じゃあ、東京では、あなた、なにをやるんですの？」

奥様と旦那様は、漫才師みたいな会話を繰り広げた。

ほんとうのことを言うと、わたしも奥様とまったく同じ思いであった。「とうきょうオリンピック」と「とうきオリンピック」は、発音してみると、ほとんど同じ言葉なので、どうして札幌で東京オリンピックをやることになったのだろうかと思ったのである。

誤解が解けて、一家は大笑いしたが、もしかしたらあのときが平井家のいちばんいいときだったのかもしれない。なにはともあれ、旦那様の長年願っていたよいことが、間近に迫っているのだと感じられた。ひょっとすると旦那様はもう少しいろいろお考えだったかもしれないけれども、わたしのような者などは、その先に悪いことが起こるなんて、思ってもみなかった。

それればかりではなくて、その後にしても、まあ、ちょいと景気が悪くなったな、くらいな気持ちでいたような気がする。

しかし、こうして、ずいぶん時間が経ってしまってから、あれこれ当時のことを思い出してみると、あの年はたいへんな年だったのだな、ということがわかる。

平井家にとって、いろいろなことが変わり始めたのは、あの年の、しかもちょうどあのころからだったのだ。

旦那様は同業組合の用事で遅くなることが多くなった。楽天家の旦那様が眉間に皺を寄せる日も増えた。そして、平井家では前々から話題になっていて、とても楽しみにされていて、奥様が、

「いいことずくめねえ」

とおっしゃって心待ちにしていたオリンピックが、夏になって開催返上になってしまったのだ。

入場券を神棚に飾っていた万国博覧会も延期になった。

いついつまで、と決まった延期ではないから、十円も出して買った券は、まるで無駄みたいになった。

4

わからないね。

そう、健史が言った。

ツーリングから帰ってきて、お年玉をせびりに寄ったのである。ご機嫌取りに、甥夫

婦のハワイ土産の、ひょうたん型のチョコレートを持ってきた。

わたしがしまいこんだぽち袋を探している間に、案の定、このノートを読んだのだ。

「わからないよ。ベルリン・オリンピックの次だから四年後？　一九四〇年？　東京オリンピックと札幌オリンピックが開催される予定だったってこと？」

「そう」

「まじ？」

「ええ。そうですよ」

「なんでなくなったの？」

「戦争になったから」

「なーんだ、そうか。そりゃそうだな。戦争してれば、オリンピックは無理だ」

ひどく簡単に納得した健史は、わたしが、ぽち袋にお札を入れるのを眉毛をひょいと動かして確認すると、

「ありがと」

と言ってつかむように受け取り、帰っていった。

5

あの後、何が起こったかを考えれば、どうして旦那様の心待ちにしていらしたオリン

ピックを、お国が「日本ではやりません」と「返上」してしまったのか、理解するのは難しいことではないけれども、当時のわたしにはわからなくて、少しだけむしゃくしゃした。

「この非常時に、そんなところへ無駄なお金を使えますか。国を挙げて戦時体制に備えているときに、不可能よ」

と、睦子さんが目を三角にしておっしゃったけれども、雑誌が言うほど非常な感じもあまりなかったので、心の底のほうでは納得しかねた。

あんなに力を入れていらしたものがなくなってしまったのだから、もう少し大騒ぎをしてもいいような気がするけれども、夏にその決定があったときには、旦那様はとくに何もおっしゃらなかった。わたしにとっては、びっくりするようなことだったが、旦那様はそうなるまでのことをいろいろご存知だったから、何も言う気が起こらなかったのかもしれない。なんとなく、触れてはいけないように感じられ、あれほど頻繁にお茶の間の話題になっていたオリンピックの話は、夏以降、平井家で蒸し返されることがほとんどなかった。

その後、ほんとうに世界戦争が起こってしまい、東京ばかりか、ヘルシンキでもローマでも開催は不可能になって、オリンピックそのものがとりやめになってしまったのだから、わたしが健史に言ったことも、あながち間違いではないと思う。

けれどもまあ、わたしには、偉い政治家のすることはおろか、旦那様のお仕事のことなどもよくわからなかった。当時もわからなかったし、いまでもよくわからない。

それよりも、時子奥様にはたいへん重大な課題が、あの年にはあったのである。

少し話が前後するけれども、奥様は、ぼっちゃんをどの小学校に通わせるかで、ふらふらになるほど悩まれていた。

麻布のお姉様が正人ぼっちゃんの教育に目の色を変えていたころには、少しおかしいのではないかというようにもおっしゃっていた時子奥様だけれども、ご自分のお子さんのこととなると、それはまた話が違ってくるらしい。

「あなたはまたぼんやりしているから、付属小学校の試験やなんか、みんな終わっちゃったじゃないの。いいお家を建てたなんて、のんびり言ってたけど、あのあたりの名前もないような公立小学校に入れてしまっては、上級学校への進学はおぼつきませんよ」

と、麻布の奥様に叱られるようにして言われて、びっくりしてしまったのだ。

「脚のことで一年入学を遅らせたのはいいけれど、わたしはまあ、その間にしっかり準備をしているものだと思ってたのよ」

小学校選択を誤ると自分の息子に不利益が及ぶかもしれないと思った時子奥様は、がぜん宗旨替えをして麻布のお姉様の信奉者となった。

「正人だって、小学校受験はしなかったでしょう?」

救いを求めるように時子奥様は尋ねる。

「受験はしないけど、うんと早く申し込んだわよ。人気のある学校はすぐいっぱいになってしまいますからね」

落ち着き払って、麻布の奥様は続けた。

「本郷の誠之《せいし》小学校、青山の青南《せいなん》小学校、麴町《こうじまち》小学校、番町《ばんちょう》小学校。それと正人の行ってた白金《しろかね》小学校。この五つくらいに入れなければ、まともな中学へは行かれないわ」

なにしろ奮闘努力の結果、正人ぼっちゃんを、当時の中学受験の最難関であった、府立高校の尋常科へ合格させたばかりだったから、それはもう、鼻息の荒いことすさまじい。自分の言うことを聞かなければお前の息子はだめになると言わんばかり、ちょっと押しの強い占い師にひっかかったような感じだった。

時子奥様はたじたじとなって、口ごもるようにして本音を洩らした。

「あら、だって、家からじゃどこも、遠いわよ」

「なにのんきなこと言ってるのよ、あなた。白金の正人の同級生なんか、みんな遠くから定期券持って通ってきてましたよ」

麻布の奥様の鼻から、シュウーと強い息が漏れるのが見えるようであった。

それからというもの、時子奥様は考えられるコネを総動員して、恭一ぼっちゃんをこれらの名門小学校に突っ込むべく運動を始めた。けれども、どうにも時期が悪かったらしく、ということはやはり、相当遅いスタートだったのに違いないが、どこの小学校ももう定員が満杯で、空きが出るまではどこか違う小学校に通わせるしかないという話になった。

そのうち、平井家の最寄り駅から東へ二駅ほど行ったところにある小学校が、新設校のわりには評判もよくて、中学進学率もかなり高いとわかり、奥様はやっとぼっちゃんをそこに通わせることに決められたのだった。

そこらあたりは大正時代に分譲が始まった新興住宅地で、誠之小や白金小の近くのような昔からあるお屋敷町ではなかったが、お医者様やら大学の先生やらが移り住んで、ハイカラで文化的な村を作っていると評判になっていた。

一つ下の子たちに交じっての入学なのに、恭一ぼっちゃんは小さくて、丸い襟のついた金ボタンの上着も帽子も大きくて、ランドセルの重さに体が妙な風に反《そ》り返っていた。それでも、ようやっと学校へ行けるのがとてもうれしそうだった。

幼稚園にも行かなかったぼっちゃんが、集団の中で馴染めないのではないかと、奥様はお気の毒なくらいに気を揉んで、一時期はご飯もほとんど召し上がらなかったくらいだ。少し脚をひきずって歩くぼっちゃんに定期券を持たせて通わせるのも、最初のうちは心配で心配で、奥様自ら送り迎えなさり、奥様が出られないときは必ず、

「タキちゃん、行ってきてちょうだい」

と、わたしを送り出した。

ぼっちゃんのちっちゃな手を握って坂を下り、駅で電車を待ち、たわいない話をしながら二駅をやり過ごし、また手をつないで校門までお送りした日々のことを、思い出すとまだ手に感触が残っているような気までする。

やがて、学校に近い駅でぼっちゃんが、

「ここまででいい」

と照れるようになり、坂道で手を握らなくなり、とうとう、

「もう、ついてこないで」

と、おっしゃるようになったのは四年生くらいだったか。

わたしは子供を持たなかったから、赤ちゃんのときからお世話した恭一ぼっちゃんには特別な思いがある。若かったためもあるだろう。あれからいくつかの家で仕事をし、子供のある家も、ない家もあったが、恭一ぼっちゃんに感じていたほどの親しみと愛情を、他の家庭ではついぞ持てなかった。わが子のような、弟のような、何ものにも代えがたい特別の存在という気持ちを、ぼっちゃんにだけは持っている。

奥様が心配するほどのことはなく、陽気なぼっちゃんにはすぐにお友達もできた。週末にはお友達がおおぜい遊びにやってきて、恭一ぼっちゃん自慢のブリキ玩具コレクションをうらやましげに見て帰ったものだった。

旦那様が会社の製品をお持ち帰りになるほかに、研究用に買われたライバル会社の玩具もあったから、戦闘機の「荒鷲《あらわし》」や、神風号ばかりではなくて、ぼっちゃんはツェッペリン号も持っていたし、大日本帝国陸軍の制服を着たブリキのミッキー・マウスも持っていた。宙返り飛行機や水上飛行機、糸で吊って旋回するゼンマイ飛行機、鉄兜に機関銃に防毒マスクと、当時の男の子が歓声を上げるような玩具の、見本市みたいなぼっ

ちゃんのお部屋だった。

鷹揚にお育ちの恭一ぼっちゃんは、出し惜しみもせず、お友達に好きなように遊ばせてあげていたから、すぐに人気者になった。

そうなれば、ぼっちゃんのほうだって、教えてもらえることも多い。

お友達に誘われて、ぼっちゃんは、学校帰りに紙芝居見物に出かけたりした。埃っぽい戸外で、みんなでずるずる水飴を舐めるなど不衛生だし、死んだ子供が墓場から出てきて復讐をするとか、意地悪な姑が素っ裸にした嫁を水がめに入れていびり殺すとか、おどろおどろしい話ばかりで教育上悪いらしいと、時子奥様がどこかで聞いてきて、行ってはいけないとおっしゃっていたものだ。それでも、男の子同士の約束をすっぽかして仲間はずれにされてはいけないから、飴代は、こっそりわたしが渡した。

わたしも木の陰からこっそりのぞいて見たが、奥様が心配なさるような恐ろしいものではない代わりに、兵隊さんが出てくる修身の教科書じみた内容だったので、あまり面白くはなかった。

ぼっちゃんも、一度観るとこんなものかと納得したのか、その後あまり紙芝居には興味を示さなかったようだったが、お友達が持っている、竹とんぼみたいな飛行機を買って欲しいと言い出した。

どこで売っているんですか、と尋ねると、駄菓子屋で買えるのだという。

「あんなにたくさんブリキの飛行機を持っているのに、そんなすぐ壊れそうな玩具が欲しいんですか」

と言うと、ぼっちゃんは口を尖らせて、

「みんな持ってるから欲しい」

と譲らない。

買ってあげると大喜びで、家に帰っても暗くなるまでずっと家の脇の坂道で飛行機を飛ばして遊んでいらした。ちょうどよく風に乗るらしい。

もう家に入ってくださいと、わたしがぼっちゃんを迎えに出ると、会社から帰った旦那様の自動車が坂の下に着いた。

坂道は狭かったから、道に人がいるときは、車はわざわざ上までは来ず、旦那様が歩いて上られる習慣だったのだが、その日、風に乗ってちゃちな経木《きょうぎ》の飛行機がゆらゆら坂を飛んでいった。

中折れ帽にかさりと羽根の当たる音がして、飛行機が車を降りたばかりの旦那様の足元に落ちた。

旦那様はかがんで、それを拾い上げられた。

あまりに長いこと、その飛行機を見ていらっしゃるので、ぼっちゃんは叱られるのではないかと当惑顔になり、その気持ちが、わたしにも伝染して、居心地が悪くなったのを思い出す。

それから旦那様はお鞄を脇に抱えられて、左手に飛行機を持ち、右手で中折れ帽を直しながら、坂道を上って来られた。

ぼっちゃんは、困った表情でわたしをちらちらと振り返った。

「恭ちゃんのかい？」

旦那様は、小さなぼっちゃんの手に飛行機を返した。ぼっちゃんは、いまにも泣き出しそうにして、ぺこりとうなずいた。

「どこで買った？」

ぼっちゃんは、顔を真っ赤にしてわたしを見た。

「駄菓子屋で、わたしが買ってしまったんです。勝手いたしまして、すみません」

ぼっちゃんは、怖そうにわたしと旦那様をかわるがわる見ている。子供心に、そんな安っぽい玩具で遊ぶのは、玩具会社の重役である旦那様を裏切っているような気がしたのだろう。

「いくらだった？」

と、旦那様は続けて訊かれた。

「一銭です」

わたしは答えた。

「たった一銭か。よく商売になるな」

最後のほうは、ため息をつくようにして、ぽんとぼっちゃんの頭に手をやると、旦那様は玄関を入ってしまわれた。

あの年の夏。オリンピックが返上になり、万博の延期が決まったあの夏、金属玩具の国内向け販売が禁止になって、旦那様のお勤めだった玩具会社は、二年前に操業を始めたばかりの大工場を、閉めなければならなくなったのだった。

6

ああいう、統制だのなんだののことは、はっきりいってわたしにはよくわからない。支那での事変が長引いたために、金属という金属は武器弾薬の原料にするから、玩具になど使うのはまかりならん、となったらしい。旦那様の会社ではずいぶん大きな人員整理もあり、たいへんだったようだ。大工場の敷地と施設は、売り払うことになったと聞いている。

お夕飯の後に奥様と旦那様が小さい口論をされたのを思い出す。わたしはお勝手で洗い物をしていたが、茶の間の声が聞こえてきたのだ。

「あなたはもともと百貨店にいたんですから、そこまで義理立てなさることはないのじゃなくって」

と、奥様がおっしゃった。

玩具会社の今後を心配して、時子奥様のお父様が、どこかほかの仕事に移らないかと言ってきたのを、旦那様がお断りになったとか、そんな経緯だったように思う。

「軍需で潤っている会社だっていっぱいあるんですから、あなたさえその気になれば、どうにでもしようはあるって、父は言ってるんですもの」

たしかに旦那様は、どこだかの百貨店にお勤めでいらしたのを、玩具会社の社長さんが、会社を大きくするときに、これからは流通のことがわかる人がいないと困るからという理由で、引き抜いたという話だった。下町の小さな工場として始まった玩具会社が、また事業を縮小して小さくなると聞いて、奥様は心配されたのだろう。

温厚な旦那様は、あんまり争いたくないご様子で、低い声でぼそぼそと話していらしたが、

「余計な心配をするのは、よしなさい」

と、きっぱり言ったのが耳に届いた。

大きな声を出すことのない旦那様のそのときの態度にびっくりしたのか、時子奥様は憤然とお勝手に逃げていらして、

「もう、いい。わたし、それなら、恭一を連れてこの家を出て、文房具屋になりますわよ」

と、おっしゃった。

この後、時々、奥様と旦那様は夫婦喧嘩をなさったが、奥様の最後の捨て科白《ぜりふ》は決まって、

「文房具屋になりますわよ」

だった。

あのころ、文房具屋は、品のいい後家さんのやる商売のように思われていたのだ。

しばらく、奥様は、お勝手で、

「タキちゃんも、ついてきてね。文房具屋をやったって、タキちゃん一人くらい、おいてあげられるわよ。小さな店ならやれるわねえ。恭一の学校の近くに出したっていい」

などと、洟《はな》をかみながら言い続けていた。

旦那様は、頃合を見計らって迎えにみえて、

「国内向け販売ができなくなっただけで、金属玩具を全部止めろというわけじゃないんだ。むしろ輸出のほうは、おおいにやってもらいたいという話もあるんだ。原料が少ないなら少ないなりに、そういう時代の玩具の作り方と売り方がある。恭ちゃんが喜ぶようなものを作るこの仕事が、私は好きなんだよ」

とかなんとかおっしゃって、めそめそする奥様を連れて行かれるのだった。

実際、旦那様はとても前向きな方で、さすがに大工場の閉鎖のときにはかなり落ち込まれていたようだが、やがて立ち直って、原料のヤミ調達に采配を振るわれるようになった。それに、国内向けの木製玩具だとかなんだとかにも、没頭されるようになった。

あの年の鎌倉だったか、社長さんと二人で、

「この際、ス・フの、あの、水に弱いところを生かした玩具を、一つ、なんとか作れんものですかな」

と話し合っていたのを耳にして、なんとも妙なことを考えつかれるものだと思った。ス・フというのは、あのころ登場して戦時中を風靡《ふうび》した人絹《じんけん》、ステープル・ファイバーというもので、悲しいくらい水に弱い布地だった。靴下などによく使われていたのだが、うっかり水につけるとよれよれになってしまうし、汗をかいたくらいで破れたりするのだ。

その、弱いところを生かすと、いったいどんな玩具が出来上がるというのだろう。あれほど女中泣かせの生地はない。長持ちさせるためには、ほとんど水につけずに洗い上げるという早業を身につけなければならなかった。それでも、わたしなどは、熟練の賜物で、ス・フの洗濯に関しては、ちょいと人並み以上の仕事をするのであるが、いまどきス・フなどというものがないので、腕前を見せる機会がないのは残念である。

7

そして、夏の終わりに、もう一つ、小さな事件が起こった。

あの日は午後から雨が降り始め、しだいに風も出てひどい様相になった。

旦那様は商談で横浜方面に出かけていらして、お夕食にはお帰りになるはずだったが、お仕事が長引いているのか、気配もない。しかたなく遅い夕食を奥様とぼっちゃんがおとりになるころには、外はたいへんな暴風雨で、窓はがたがた鳴るわ、木はひゅうひゅう唸《うな》るわ、なんとも心細い気持ちにさせられた。

ぼっちゃんがお休みになった後も、風雨はいよいよ増すばかりだった。

家のあるのは高台で、浸水の心配だけはなかったが、まわりがまだ武蔵野の面影を残す場所だったから、風が吹き始めるとさえぎるものもなくて、木をなぎ倒さんばかりの轟音が響き、それは恐ろしいことになるのだ。

どこかで木の枝が風に折られて飛び、ばちんと雨戸にぶつかる音がしたかと思うと、なにかバケツか植木鉢のようなものが、猛然と表を転がって何かにぶち当たる衝撃があったりする。

奥様は旦那様が心配で寝ることもできず、一人でいるのは心細かったのだろう。わたしが女中部屋に引っ込むのを嫌がって、茶の間でいっしょに起きていて欲しいとおっしゃるので、繕い物などをしながらその怖い夜を過ごしていると、玄関をどんどんと叩く音がした。

「あら、お帰りになったのかしら」

奥様がそうおっしゃり、手ぬぐいやらなにやらを用意して二人で玄関の戸を開けると、真っ黒い雨合羽《あまがっぱ》の男がやおら雨風とともに入ってきて、

「平井さんは、今晩、横浜で足止めです」

と言うのだ。

その後すぐに二階で木が倒れるような何かが壊れるような、たいへんな音がした。

「ありゃ、何です？」

そう言って、雨合羽の帽子のところを外したのは、板倉さんだった。

「あら、どうして？」

「東海道線が止まっちまったらしい。平井さんから、今夜は戻れないと、事務所のほうに電話がありました。すぐ、お知らせしたいと思ったんですが、この状態じゃあ、電報もおぼつかないから、来たほうが早いと思ったんです」

「あら、でも」

「それより、二階をなんとかしたほうがよさそうですよ」

見上げると、階段の上に寝巻き姿のぼっちゃんが立っていて、いまにも泣きそうな顔でこちらを見ている。

「お隣の部屋の窓が、ばったん、ばったんいうの」

言われるまでもなく、二階の客間の窓がばたばた音をさせて、いまにもガラスが割れそうな勢いだった。客間は六畳の和洋折衷間で、窓はガラスの外側に観音開きの外国風の木戸をつけたハイカラなものだった。他の部屋はたいていしっかりした雨戸がついていたから強風もそんなに心配はなかったけれど、その部屋だけはたしかに、ずいぶんと危ない造りになっていた。

案の定、二階のその部屋へ行くと、どこからか飛ばされた小石が窓を割り、外の木の戸がぶらんぶらん揺れていて、部屋は水浸しになっていた。

「こりゃ、いかん」

と、板倉さんは言った。

「タキちゃん、この家に、はしごはあるかい？」

「ええ。お勝手の裏に」

「なにか、打ちつける板みたいなものと、大工道具は？」

「持ってきます」

「奥様とぼっちゃんをどっか安全なところにお連れしたら、濡れてもいい格好に着替えて、ちょっと手伝ってくれよ」

「はしごで屋根に上るんですか？　それは危ないわ。よしたほうが」

と、奥様が言いかけると、

「この風ならまだいいほうで、夜半過ぎにとんでもないことになるらしい。早く手を打っとかないと。あ、ほらね」

ぱちぱち、と瞬《また》きして電球が切れた。

「何？」

「停電です。だいじょうぶ。朝になりゃ、気持ちのいいお天気になってますよ」

そこで、わたしは奥様とぼっちゃんを家に残して、猛《たけ》り狂う風雨の中、板倉さんと二人で外へ出た。

はしごを立てかけるのが一苦労で、うっかりするとはしごごと飛ばされそうになるから、足を踏ん張って支えていなければならない。

板倉さんは、釘を口の中へ入れて、トンカチを右手に持ち、左の脇に板を抱えて上って行かれて、壊れた木戸の上に板を渡しては、とんとん打ちつけて窓を塞いだ。

その間、何度もはしごが倒れそうになるし、板倉さんの脇の下から滑り落ちた板に頭をぶたれそうになるし、その落ちた板をもう一度、板倉さんに渡すのも一苦労だった。目を上げても、雨でぐしゃぐしゃになった髪の毛で何も見えない。手を離してそれを掻き分けるわけにも、雨を拭うわけにもいかない。ただ、嵐の中のびしょ濡れの作業にはなんとも言えず心躍るところがあって、はしごを支える手にはおのずと力が入った。

板倉さんが一足、一足、踏みしめるように降りてきた。

「終わったよ。タキちゃん。ありがとう」

板倉さんの手が、ぽんとわたしの肩を叩いた。

雨に濡れた人肌の匂いが鼻を打った。不思議なことに、ふとした瞬間にそれを思い出すことがあった。そして思い出すとなぜだか、うしろめたいような気持ちになった。

奥様は手ぬぐいをたくさん抱えてお勝手にやってきて、何度も何度もお礼を言った。

「そんなに濡れては風邪を引くから、夫の着物を着てください」

とか、

「温かいお茶を飲んでいただかないことには」

とかなんとか言い張るのを、

「着物なんかお借りしたら、この雨でだめにするだけです。それより、電車がなくならないうちに帰ります。まあ、もう、安心して寝てください。明日になりゃ、きれいに晴れて、平井さんもすぐにお帰りですよ」

そう言うと、板倉さんは、勝手口から出て行った。

けれど、わたしがずぶ濡れになった頭から足の先までを、ようやく拭き終わるか終わらないかのうちに、奥様はまた玄関の戸を開けることになった。

結局、坂の下を走る私鉄も雨の影響で止まってしまって、板倉さんはしかたなく、引き返してきたのだった。

あの夜、奥様は、怖がるぼっちゃんといっしょに寝室でお休みになった。

わたしは、わたしの女中部屋で寝た。二階の客用寝室は水浸しになった後で、板を打ちつけた窓の隙間から雨風が入ってきていたので、茶の間を片づけて板倉さんのための布団を敷いた。

あのときの台風はなにしろ尋常ではなく、わたしの生涯においては、戦後のカスリン台風に次ぐぐらいの凄まじいものだった。怖かった。

どれくらい大きかったかというと、気の毒に、溺れた熊が多摩川に浮いたくらい、すごかった。

翌日の朝も風が強くて、新聞に「登校は危険」と書いてあったので、ぼっちゃんの小学校は、お休みとなった。

板倉さんには、朝御飯をお出しした。たしか板倉さんのお住まいは、ぼっちゃんの小学校のある駅から歩いて十五分ほどのところだった。途中で車を拾えるかもしれないし、歩いて歩けないこともないから、このまま帰るとおっしゃって、電車の復旧を待たずにお出になった。さすがに、びしょぬれの背広ではなく、旦那様のお着物を借りて帰られたように覚えている。

奥様と板倉さんが、その年の夏も鎌倉で会われていたことを、わたしはその台風の晩に知った。板倉さんが旦那様の浴衣と丹前に着替え、茶の間に出した火鉢で暖を取りながらお茶を飲まれたときに、話していらしたからだ。

たわいない話で、なんということもなかったけれど、夏の日の共通の思い出を語られるお二人は楽しそうだった。

8

ご家族の思い出を書いているのだから、べつだん、わたしのことなどは書かなくてもいいことだけれど、もののついでだから、ここで書いておくことにする。

あの年の秋に、縁談があった。

田舎を出てから八年。わたしも二十一になっていた。

旦那様のお取引先からのご縁で、お相手は中学の先生をしていた方、という話だった。

わたしのように教育のない、一介の女中ふぜいが、中学の先生をして、その後はどこかの国策会社の嘱託かなにかをやっている、立派な方との間にお話があるなんて、すべては平井家にご奉公させていただいたおかげとしか言いようがない。

見合いは田舎に帰ってするものとばかり思っていたのが、思わぬ話でびっくりした。

時子奥様は、

「タキちゃんを、うんといいところにお嫁にやるのが夢」

と、常々おっしゃっていて、わたしの嫁入り支度を整えるのが、まるで楽しい役目のように思っていらした。

「お嫁に行ったからって、ご縁がなくなるわけじゃないわ。タキちゃんに子供が生まれるまでは、通いで来てくれたっていいじゃないの。他の女中さんを雇う気持ちはないわ。だって、わたしたち、ずっといっしょだったんですもの」

そんなふうに奥様もおっしゃるので、わたしもだんだん乗り気になってきたが、お写真と釣り書きを見て、なんだかひどくがっかりした。

相手は五十歳を過ぎていたのである。

子供はわたしよりも年上のものが四人いるという。すでに孫もいて、しかも、妻を娶《めと》るのも三回目なのだ。

家柄、ということを考えれば、わたしにはもったいないようないいお話だったが、さすがに三十も年上の男のところへ嫁ぐと思うと、人知れず涙がこぼれてきて困った。

わたしが一人、女中部屋で泣いていると、つと障子が開いて、奥様が入ってこられた。

「嫌なのね」

奥様は静かな声でおっしゃったが、わたしは何とも言えず下を向いていた。

「そうよ。当たり前よ。嫌に決まってるわ。心配しなくたっていいのよ。わたし、断るわ」

「でも、旦那様が」

「旦那様だって、無理強いはできないわ。ちっとも、いいお話じゃ、ないじゃないの、こんなの。知らなかったわよ、こんな年寄りだなんて。なんぼなんだって、図々しいわ。もっといいのを、わたし見つけてあげる」

悔しそうに顔を歪《ゆが》めると、ふんっと勢いをつけて身を翻し、奥様は出て行かれた。

その翌日、お夕食の後に、奥様はその話を旦那様にされた。

ぼっちゃんを二階にやり、わたしをお勝手に下がらせると、

「なんぼなんだって、図々しい」

という理由で、旦那様に縁談のお断りを申し出たのだった。

「そうかね。いい話だと思ったが。相手は中学の先生をしていた人だよ。インテリゲンチャだよ。タキちゃんだって、女中一人くらい置いてさ、奥様になれるじゃないか」

「奥様になればいいって話じゃないわ。三十も違うんですよ、あなた。タキちゃん、かわいそうじゃないの。いきなり、孫を抱かされるのよ」

「しかしねえ、うちの工場だって、若いのはどんどん召集が来ているんだから、年齢相応のを探そうと思ったたって、居やしないよ。よしんば、居たとしても、すぐ兵隊に取られちまったらどうするんだ。それこそ、タキちゃんが、かわいそうじゃないか」

「兵隊に取られたって、帰ってくる人もいるじゃないの。あんな年の人じゃ、鉄砲弾に当たらなくたって、先が知れてるじゃないの」

「そう、年、年、言いなさんな。私といくつも違わないんだから」

「タキちゃんは、わたしよりもよっぽど若いのよ。これからなのよ。だいいち、そんなお年の人じゃ、子供ができるかどうかもわからないじゃないの」

それまで大きな声で話していたお二人の声が、そこでぱったり止んだ。

縁談はいつのまにか沙汰止みになり、その後話題になることはなかった。

9

縁談が立ち消えになったからといって、そうがっかりもしなかったのは、わたしが平井家のご奉公を、心から気に入っていたためだろう。望まぬところへ嫁いで苦労するくらいだったら、一生、平井家のねえやでいたいと、願っていたのだからしかたがない。

いまとは違って、結婚にも、そう夢が持てる時代ではなかった。さすがに五十がらみの男に二十一で嫁ぐのは珍しかったにしても、結婚したがために、女中以下の待遇になってしまった女の例など、わたしはいくらでも知っていた。

あの後、いい縁談がなかったのは、時代も悪かったかもしれないが、本人にやる気がなかったのが、いちばんいけないに違いない。

それよりも、あのころのわたしは、平井家の女中として、防火担任者を拝命したばかりであり、防火班、防護団の方々とも綿密に連係を取っておきなさいと旦那様に言われて、防空演習に参加することなどのほうが、ずっと張り合いがあって楽しかった。いまで言ったら、キャリアウーマンということになるのだろうか。

オリンピックがお流れになったころから、防空演習の必要性や、空襲に対する心構えなどがよく聞かれるようになった。

とはいうものの、実際に初めて東京に空襲があったのは、たしか大東亜戦争、いまで言う太平洋戦争の、開戦の翌年だったから、それまでの四年間は単に訓練で、お稽古のようなものだった。ボール紙で、灯火管制のための電灯の覆いを作ったり、旦那様、奥様、恭一ぼっちゃん、それぞれの非常着を縫って差し上げるのなどは、わたしの能力が存分に生かされる機会であったので、楽しかった。

旦那様が、お庭に、たいへん立派な防空壕を作ってしまったのも、あの年だった。ちゃんと大工さんをよんで、コンクリートを流し込んで、小さいテーブルと椅子がおける大きさだった。

冬なら毛布などを持ち込んでおけば、暖かくすごせると、旦那様は言う。

「備えあれば、憂いなしだ。建て増しをする代わりだと思えば、たいへん安上がりだったよ」

まだ、どこの家も、防空壕を用意していないころだったので、いかにも新し物好きの旦那様のなさりそうなことだと、麻布の奥様などは、ちょっと非難めいた口調でおっしゃったりした。

10

おばあちゃん、それは違うよ。

と、健史が言った。

「キャリアウーマンという言葉は、そういうふうには使わないよ」

読むのは勝手だが、ところどころでつまらない文句をつけるのは、よしにしてもらいたい。

わたしは、もんぺに割烹着で颯爽《さっそう》と、男の人なんかとも「ここは、こうしましょう」などと、しっかり打ち合わせて、勤勉に防火活動に働くわたしの、なんというか、決まっている感じというか、かっこよさについて、言いたかったのである。

だんだん手に入りにくくなってくる食料や贅沢品を切らさず、ご家族に従来と変わらない物を召し上がっていただくためには、出入りの御用聞きにも顔を利かせておく必要があった。そういうことだって、並みの女中では、そうそううまくできなかったものだ。

これ以上は、自慢になるからよすけれども、わたしの職業的能力は、あの時代にたいへんよく磨かれ、発揮されたものであることは言うまでもない。

第四章　祝典序曲

1

あれこれ思いつくままに書いていると、小学校にあがった恭一ぼっちゃんが、どんなにかわいらしかったか思い出し、口元に笑みが浮かんでくる。

セイちゃんとタッちゃん、という仲良しのお友達もできて、週末ごとにどちらかのお家に遊びに行くようにもなった。もちろん、セイちゃんとタッちゃんが、平井家に来ることもしょっちゅうあって、そんなときは腕によりをかけて、おやつを作ったものだった。

お友達の影響で、『小学一年生』の代わりに『少年倶楽部』を購読するようになり、ぼっちゃんも、あっというまに『のらくろ』のファンになった。

そして、

「大きくなったら、陸軍大将になる」

と、決意された。

もちろん、その翌日には科学者、その翌週には大工さんと、しょっちゅう夢は変わるのだったが。

ころころ変わる未来の一つに、

「大きくなったら、タキちゃんをお嫁さんにする」

という、かわいらしいものもあった。

三年生になったぼっちゃんが、転校生のミツコちゃんにお熱になるまでは、わたしは不動の花嫁候補だった。わたしだって、ぼっちゃんをお婿さんにとまでは思わなかったが、そのころ婦人雑誌でさんざん持ち上げていた、徳川家光公の乳母、烈婦〈春日局〉と自分を重ね合わせたりしていたものだ。

毎朝、小さなお弁当箱に、彩りよくおかずをつめるのはわたしの仕事で、もどってきた空の弁当箱を洗う夕方は、いつもわが身の幸せを感じる時間であった。

2

お弁当、といって思い出すのは、興亜奉公日《こうあほうこうび》のことである。

毎月一日は興亜奉公日と決まり、日曜だろうとなんだろうと学校へ行くことになったのは、ぼっちゃんが二年生、昭和十四年の、二学期の初めだった。

ごはんの上に、おかずは梅干一個の日の丸弁当と決められていたから、そこは、わたしの腕の見せ所だ。弁当箱の底に、うすくごはんを入れ、そこへ醬油に浸《ひた》したおかかや、アミの佃煮なぞを忍ばせ、その上にあぶった海苔を敷き、なんのことはないようにまた、ごはんをのせて、丸い梅干を飾るのである。

聖戦の最中に贅沢はいけない、興亜奉公日は梅干弁当、との通達が出て初めての日には、わたしもごはんに梅干一つの弁当を作ったのだけれども、学校へ行って、めし時に蓋を開けてみれば、タッちゃんもセイちゃんも、たいていの家の子が、ごはんの中にこっそりおかずを忍ばせていたのだそうで、ぼっちゃんが赤い子鬼のような顔をして、怒って帰ったものだから、以後、海苔弁にごはんと梅干で蓋をする式に方針を変えたのであった。

ところで興亜奉公日とはいったいなんであるか、甥の次男は、まったく知るまいと思う。

そういうことを、おばあちゃん、それはなんだったのと、正面きって訊かれたりすると、とても困る。なぜなら、わたしにも、あまりよくわからないからである。

毎月一回、月の初めに、兵隊さんの労苦を思い、贅沢をつつしむ日で、お国が決めて、みんなでやっていた。

具体的には、防災訓練や慰問袋作りなどは、やったように思うが、それ以上に何をしたか、よく思い出せない。

はっきり覚えているのは、夏に奥様が唐突に、

「タキちゃん、九月一日から始まる、興亜奉公日ね、あなた、どこかへお出かけなさい」

と、おっしゃったことだ。

「今朝の新聞で読んだのよ。興亜奉公日は、家事を簡素にして社交も慎むのでしょう？こういう日はむしろ、主婦の勤労日として、女中を靖国神社へ参拝させたり、国策映画を見に出してやるべきだというの。つまり、普段、家事に追われてものを考える余裕のない者が、読書をしたり、教養を深めたりする日にすべきというのよ。わたし、ちょっと感動したの。平井恒子女史って、偉いわね。だから、あなた、お出かけなさいよ」

ぼっちゃんの送り迎えは奥様がなさるとおっしゃるから、市電を乗り継いで参拝へ出かけた。けれどもその後、わざわざお休みをいただいて神社や国策映画に行った覚えはないから、一回だけだったのだろう。

帰ってきたら、ぼっちゃんがお弁当のことで怒っていて、海苔弁を作ってくれという話になって、そうすることにしたのだ。

日本に食糧がたくさんあることはたいていの人が疑っていなかった。ただ「万が一のために」備蓄が必要で、それをお国が統制するから手に入りにくくなっただけのことだと思っていた。

まあ、多少は、どこそこの誰さんが特高にひっぱられたとか、物騒な話を聞かないではなかったが、支那で大負けに負けてるなんて話は聞いたこともなし、デパートはわりによく大売出しをしていた。

事変に関してのわたしの知識は、だいたい米屋の虎蔵《とらぞう》さんあたりから胚芽米《はいがまい》といっしょに仕入れていたものだから、

「事変もいつまでも長いわね」

と愚痴れば、

「いや、タキさん。事変はもう、皇軍の大勝利でもって、とっくに終わったんじゃねえか」

などと答えが返ってきて、

「あら、そんなら、なんだってまだ、非常時なの」

と言おうものなら、

「そりゃ、おめえさん、いまやってンなあ、他でもねえ。大東亜建設のほうよ。なんたって、大東亜てぇば、話がでけぇからね。ちょいと事情も違って、まだまだ、がんばりどころと、お国が決めたのよ」

と、言う。こちらも、まあたいがい、そんなものだろうと思っていた。

そして、『主婦之華』の睦子さんなどが、「銃後の要《かなめ》は主婦の倹約精神」などとワァワァわめいて、「なにがなんでも節米、節肉」と言ったりするものだから、なんとなく買い溜めしなければならない気がしたり、見よう見まねでパンを焼いたりしてみた。

これも、粉骨砕身、研究に励むと腕前が上がって、

「シチュウのときは、タキちゃんのパンがいい」

と、旦那様からご指名を受けるほどになった。

わたしの持っていた、昭和九年発行の『女中さん讀本』には、「シチュウのつけあわせには、なます」と書いてあったため、奉公したてのころは、判で押したようにその二つをいっしょに作っていた。ところが、旦那様に言わせれば、これほど取り合わせの悪い献立もないそうである。ミルク味のシチュウに、甘酢がまったく合わないのだそうだ。考えてみればその通りだが、西洋料理がどこかピンと来ないのは仕方がないと、思い込んでいたわたしも頑なだったわけだ。

シチュウとパンは平井家の定番となり、わたしは時局と栄養を考えて、にんじんのすりおろしや、菜っ葉の刻んだのなどを入れて、見た目にもきれいなパンを焼いた。シチュウは鶏肉がいちばんおいしいけれど、あのころさんざん出まわった、あさりの剝き身などでも、上手に作りさえすれば、たいへん立派なものができあがる。思い起こせば、興亜奉公日には、よくシチュウとパンが食卓に上った。

牛乳もないと言われがちだったから、シチュウに豆乳を使ってみたりした。豆乳を使うときは、独特のにおいとコクのなさが欠点になるから、白味噌と炒めたベーコンで旨味と脂分と風味とを補強する。

こうした代用食品で特別に旦那様とぼっちゃんのうけがよかったのは、ピーナツバター。奥様のご親戚筋から送られてくる千葉の落花生を、焙烙《ほうろく》で香ばしく炒《い》ってから、すり鉢でよくすり潰して、少しの砂糖と塩と米油を加える。これを作っていると、ぼっちゃんがお勝手に入ってきて、すり鉢の溝にこびりついたピーナツバターを舐めさせてくれとおっしゃったりした。

「お行儀が悪いから、お母様に内緒ですよ」

と断ってから、二人ですり鉢の底を指でさらって、ぺろりと舐めるのだ。

朝の食卓に、きつね色のトーストとともにお出しすると、

「本物のバターより旨い。なまじな人造バターなどより、ずっといいね」

と、旦那様も目を細められたものだった。

そんなわたしの努力が評判を呼び、睦子さんが知恵を貸せとおっしゃったりするので、わたしの節米料理はいくつか、『主婦之華』の誌面に載りさえしたのである。市井の主婦からの投稿、ということになっていたが、

「タキちゃん、あなた、なんかおいしそうなの、考えてちょうだい」

と言われて、ひねり出したメニューであった。

スィートコーンの蒸しパンだの、蓮根の炊き込みご飯だの。

炊き込みには、戻した乾し海老と、その戻し汁を入れるのだが、ちょっとあぶって焼き目をつけた蓮根といっしょに風味よく炊き上げて、晒《さら》し生姜や刻んだ三つ葉を天盛りにすると、格別に食感がよく、お客様にも出せる。いまでも時々作りたくなるほどだ。

あのころだって、砂糖がなくなるの、醤油が切れるのと、怪情報が飛び交わないでは

なかったが、そういうときこそ、御用聞きと仲良くなっておく真価があらわれる。買って欲しいと言われたときに、言い値で買ってやるとか、余って処分したいものを安く引き取ってやるとか、まめに相手を立てておけば、どこをすっとばしてでも持ってくるのが商売人だ。以前は風呂のたきつけに使っていた八百屋や乾物屋の紙袋を、時節柄、先方でも不足しがちだろうと気遣って、きれいにたたんで返すだけでもありがたがられ、次に持ってくる品が良くなったりしたものだ。女中の基本は、「気は心」。

米なども、新聞雑誌で白米が手に入らなくなると大騒ぎしていたころ、虎蔵さんがやってきて、

「なあにね。うちにはまだ白米がいっぱいあるんだ、いくらでも持ってきまさあ。胚芽がちょいと入っててよけりゃ、そっちのほうが栄養もあって経済だよ。お上は、冬っから先、七分搗《づ》きしきゃ売らせねえといってるから、いまのうちに買っときな。七分搗きってのは、がさがさしてまとまりがねえんだ。寿司飯なんぞ、ぽろっぽろしちまって、できたもんじゃねえや。寿司は日本人の国民食だろ。心の味だろ。大東亜建設の、要だわな。それが作れねえような米は、米屋としても、どうかと思うよ」

というので、白米と胚芽米をたっぷり買い溜めした。

魚屋だって、いきのいいのを、

「タキさんに言われちゃ、かなわねえ」

と、頭をかきながら、よそより安く持ってきたものだ。

東京中の食べ物が底をつき、ほんとうにどうしようもなくなるのは、もっとずっと後のことだったのだ。

3

旦那様の会社はその後、紙製や木製の乗り物玩具でヒットを飛ばし、かつてほどではないにしても、社長さんと旦那様は自信を取り戻した。ずいぶん人員整理をしたせいで小さくなってしまったが、前向きで威勢のいい社長さんの鼻息は甦った。

いつだったか、旦那様が大事な書類を忘れて出られて、スグニトドケヨ、という電報が家に届いたので、奥様に命じられて会社までお届けしたことがあった。

大工場を閉めてから移転した小さな工場が下町にあって、旦那様の営業部も板倉さんのデザイン部も、工場の一角にあった。

磨り硝子《ガラス》の塡《は》まった木のドアを開けると、茶色のソファが置かれた応接室があり、籐編みの屏風で仕切られた奥が、社長さんや旦那様の机の並ぶオフィスになっていた。

「ああ、これだ、これだ。ありがとう、タキちゃん。少しここで待っててくれよ」

と、旦那様がおっしゃるので、ソファに居心地悪く腰掛けて壁を見ていたら、スローガンが目に入った。

〈すべての玩具は、国防玩具である〉

と書いてあって、社長さんの落款《らっかん》が押してある。

そのころ、練りビスケットの広告に、「最早《もはや》ビスケットはお菓子ではありません・国防食品」、「今日の子供が銃をとって明日の戦線に起《た》つ事を想えば、銃後の児童の栄養を軽視することはできない」などがあったから、社長さんも国策に沿おうと思ったのだろう。

でも、なにが「国防」なのか説明がなかったので、ビスケットの広告ほど説得力はないような気がした。

奥で旦那様と社長さんは、大きな声で双葉山の強さについて話していた。

「七十勝の夢、潰《つい》えたりといえども、前人未到の六十九勝は、この先誰にも破られん大記録でしょう。輸出の雄たる玩具業界に試練が訪れたのは、春場所で双葉山が安芸ノ海に土をつけられたようなもんだと思わにゃいかん」

大きな声で社長さんがそうおっしゃると、

「まったくもって、その通りです。誰にでも、何にでも躓《つまず》きはある。そこからどう立ち上がるかが、器量を問われるところですな」

と、旦那様も応じる。

「春場所でまさかの四敗！　あれだけ苦杯をなめさせられて、双葉山は終わったかと見せておいて、不死鳥のごとき今場所の全勝優勝。私は闘志に火をつけられました。あの力強い相撲ねえ。玩具業界も、これでなきゃいかん。不撓不屈《ふとうふくつ》の精神ですよ」

玩具会社の大手術、大整理を行った後の旦那様たちが、双葉山の強さにあやかりたい気持ちは、痛いほど伝わってくる会話だった。

「待たせたね、タキちゃん。新製品が工場からあがってきたのでね。できたてほやほやを、一足早く恭ちゃんに持って帰ってもらおうと思ってさ。今日は玩具組合の会合で遅くなるから、夕食はいらないよ。今朝、奥様にもそう言ったから、わかっていると思うが」

「はい、存じ上げております」

ご挨拶して会社を失礼し、紙袋に入った新製品をうっかり壊さないように大事に持って帰った。

「お父様から、お土産ですよ」

ぼっちゃんは、小さいころから慣れていらっしゃるので、王子様のように当然の面持ちで紙袋を受け取り、それを開いた。

「へぇ」

と、感心したような声が漏れた。

「あら、なんだったの?」

時子奥様も興味津々で近づいていらっしゃる。

それは薄いベニヤ板を使って精巧に組み立てた小さいヨットで、薄くセルロイドを塗って防水が施されており、ステープル・ファイバーの帆に鮮やかな日章旗がプリントされていた。

4

この年の夏も、ご一家は社長さんの別荘に招かれた。

行きは旦那様、奥様、恭一ぼっちゃんの三人で出かけられた。

いつものように、旦那様が一足早く戻られ、奥様とぼっちゃんが別荘に残った。

夏休みが終わりにさしかかるころ、わたしは旦那様に命じられて、お二人を迎えに行った。朝、会社に行く旦那様は、

「少し早く出て、タキちゃんも潮風を吸ってくるといいよ。気分転換になるからね」

と、おっしゃった。

お迎えには三時ごろ鎌倉に着けばいいのだから、品川を二時過ぎに出れば十分なのに、せっかくだから遊んでおいでと、旦那様は気を遣ってくださったのだ。

旦那様をお送りした後、いつもより念入りにお掃除をして、午前中に家を出た。ゆうべの残りごはんを握り飯にして袂《たもと》へしのばせ、行きの横須賀線で昼にしようと思っていた。

省線で品川へ出て、横須賀線に乗り換える。わずか一時間ばかりの汽車旅。窓を上げると、外から涼しい風も入ってきた。

鎌倉へ行くのは、たまの遠出だった。

社長さんの奥様といっしょに過ごすのは気疲れすると言っていた奥様も、慣れたのかあまり不満をおっしゃらなくなり、それより鎌倉がいかにいいところかを、折にふれて語られていたから、わたしも一人前に憧れのようなものが募った。

奥様がご経験されることは、お話を聞くだけで自分も体験したように思う癖がついていて、羽左衛門の切られ与三が色っぽかったと聞けば舞台を見た気になり、湘南の海が楽しかったと聞けば海水浴をした気になっていたわたしではあったが、奥様のなさったことを実際に真似してみられる機会があれば、それだけは逃したくないとも思っていたのだった。

旦那様のお言葉に甘えて、ほんのちょっと早く出ただけでもう、江ノ電に乗ろうか、海の方へ行ってみようか、木立の中の大仏様でも拝もうかと、すっかり物見《ものみ》遊山《ゆさん》気分になってしまった。

汽車の中は、涼しげなブラウスを着た学生さんや、日傘を手にした品のいい奥さんや、海遊びに連れて行かれる小さな子供たちで混んでいた。和服を着た年寄りの男たちは、のんびりとキセルを燻《くゆ》らしていた。

話題にされるのは双葉山が強いとか、いやいや男女ノ川だとか、利殖をするのに株と債券とどっちがいいかしらなんて話だ。誰もがそこそこ儲かっていて、お財布にも余裕があった気がする。

「鉄筋はだめでも、日本じゃあ、竹筋コンクリートのビルを建てようてんですから、世界でいちばん知恵がまわるったらないね」

とか、

「近頃の物不足は、物がないわけじゃあなくて、政府が公定価格をあんまり安く設定するから、そんなバカみたいな値で売れるもんかと、みんな嫌になって、外地で売っちまうだけだろう」

とか、

「ス・フはいただけない」

というのも、時候の挨拶と同じくらい聞いた。

田舎育ちのわたしは、海を見たのも東京へ出てからだ。だから、潮の香りも、富士山の立派さも、わたしにはモダンな東京生活としっかり結びついている。

鎌倉駅で降りて、江ノ電に乗り換えた。奥様に一度だけ聞いたことのある、あの有名な長谷の大仏を訪ねることにしたのだ。

美男におはす夏木立かな、という下の句を持つ歌も、時子奥様が口にされたことがあったので覚えていた。

「わたしはあんなぽってりした仏様、とくに美男とも思わないけど」

と、奥様は笑っていらしたが、夏木立に座っているお姿はきっと美しいに違いないと、わたしは見もしないうちから決めていた。

長谷駅で降りて、参拝客に続いて歩き始めると、海から上る蒸気のせいか、通りに陽《かげ》炎《ろう》の立つのが見えた。脇には土産を売る店もあり、吊り下がった風鈴の鳴る音も聞こえた。

大きな木に覆われたお寺の境内に入ると、そこにはずいぶん人がいて、写真機を構えたお父さんが、子供に動かないようにと注意する声もした。

先を行く人の日傘がくるくると廻った。

絹糸で刺繡のある、麻の白い傘だった。

翡翠《ひすい》色のワンピースを着た、その日傘の人が、

「鎌倉や　御仏なれど　釈迦牟尼は」

と、例の歌を口ずさむのが聞こえた気がして、思わず足が止まった。

わたしは木立の陰に立ち、そおっと境内を見回す。

半ズボンを穿《は》いた小さいぼっちゃんが、大仏様に向かって走っていくのが見えた。わたしは息を吞んで、その場に立ったなりになった。

いくら、旦那様のお許しがあったといっても、一人で鎌倉を遊び歩いているのを見られたくはない。

その日、わたしは鎌倉へ行けるので油断して気が大きくなり、ほんのちょっとなら見物に歩いてもいいように思っていたのだ。でも、女中は本来、奥様のご指示だけで働くものだ。旦那様が奥様にお命じになり、奥様からご指示があって初めて、旦那様のお使

いもする。そうしないと、命令系統がこんぐらがってしまう。

たとえば小説家の小中先生のように、勝手に女中を使い、勝手に小遣いをやったりすると、奥様のお立場がなくなり、困ったことになるのだ。女中が奥様を軽んじたり、働かなくなったりする。以前、小中先生の奥様がそうおっしゃっていたことを思い出し、にわかに恥ずかしくなった。奥様の目を盗んで怠《なま》けているのではないと思おうとしても、事実がそう証明しているかのようだ。

わたしは奥様に見つからないように、人ごみを避けて逃げ出した。

そうしてそのとき、白いシャツを着た若い男の人とすれ違ったのだ。

向こうは気がつかなかったはずだ。なにより、わたしがそこにいようなどとは思いもしないだろうから。わたしは顔を伏せて通り過ぎた。

その男の人が、

「詞《ことば》にも　歌にも　なさじ　わがおもひ　その日そのとき　胸より胸に」

という、同じ女の歌人の別の歌を口にしたように、思う。ふと、嵐の夜の匂いが香った気がした。

こうして、ぼんやり座っていると、そのことばかりを思い出す。

それはとても遠い昔の、陽炎の中に浮かんだ光景だから、何十年も経ったいまとなっては確かめようもない。あのころだって、確かめるなどということはできなかった。

わたしが、その日、あそこにいてはならなかったことを、神様がお示しになったようなものだ。

ぼっちゃんにさえ、駅に来る前にどこにいたかなんて、訊きもしなかった。

それから二時間もすれば、わたしは鎌倉駅で奥様とぼっちゃんに会うことになる。社長さんの運転手が黒いビュイックを駅前の車寄せに停め、出てきて後部座席側のドアを開け、白い日傘をふわりと広げた。奥様がきれいな細い両足を揃えて車からお降りになった。あの、翡翠色をしたワンピースをお召しになり、革製の旅行鞄を提げていらした。

わたしは奥様からお鞄を受け取って、三人で「二楽荘」にシュウマイを買いに行き、横須賀線に席をとり、ぼっちゃんのはずむようなおしゃべりを聞きながら帰った。

ぼっちゃんのお話は、だいたいが海水浴のことで、どれくらい泳いだとか、どんな貝殻を拾ったとか、そんなことばかりだった。

奥様は目を細めて、ぼっちゃんを眺めていらした。

それだけを見れば、とくに変わったこともない、三年目の鎌倉行きであった。

こうなると夏木立の中で見た光景は、わたしが勝手に頭の中でこしらえたことだと言われても仕方がない。

だいいち、あの歌をわたしがこんなにしっかり覚えているのは、鎌倉から帰った奥様が、応接間の飾り棚に与謝野晶子の歌集をしまったからだ。

「詞にも　歌にも　なさじ　わがおもひ　その日そのとき　胸より胸に」

お掃除のときに、はたきをかけようと思って取り出すと、その歌のページには小さく切った色紙が挟んであった。

5

その翌年あたりから、奥様と旦那様は、時々、喧嘩をなさるようになった。

原因はお金のことが多かった。奥様は、あまり貯金に熱心ではなかったが、旦那様は時節柄、あまり無駄遣いをしないように、国債を買って利殖を心がけるようにと、奥様を諭《さと》していらした。

ぼっちゃんを学校へお送りして戻り、お勝手口から家に入ると、そのお勝手の木の丸椅子にぼんやりした奥様が座っていらして、

「わたし、今度こそほんとに、文房具屋になってしまおうかと思ってよ」

と、口をへの字にしておっしゃるのに出くわしたこともある。

「あら、どうなさいました？」

「だって、旦那様が、本多式、本多式と、おっしゃるんですもの」

「本多式ですか？」

「帝大の、名誉博士の本多静六という人が奨励している貯蓄法のことよ！」

「貯蓄法。お金の貯め方ですか」

「収入の四分の一を貯金に回せだのなんだのって、余計なお世話だわねえ」

「さいでございますねえ」

よくわからないことでも、わたしは奥様のおっしゃることには同意することにしていた。

「『新しい背広をお作りになったら』と言ったのよ、わたし。そうしたら旦那様が、『うちも本多式に行くかな』とおっしゃるじゃないの。『なんですか、それ』と訊いたら、『たまには新聞を読みたまえよ』ですって。頭に来るわね。わたし、毎日、新聞は読んでますわよ」

「読んでいらっしゃいますわ」

「だからいまちょっと、古新聞を探してみたら、記事が載っていたの。『夏冬兼帯で、いつでも詰襟服がいい』というのよ！」

「貯蓄法だけじゃないんですねえ。それも本多式ですか？」

「そうよ！　本多式よ！　『寒いときは下着を重ねればいい。何枚も重ねて、直接肌に触れて汗をかいたら、それを一番上に着ればしばらくは過ごせる』と、こうなのよ。どう、これ。不衛生じゃなくって？」

「なんだか少しねえ」

「それっぱかりじゃないのよ。『社交はなるたけ形式的でないようにする』ったって、あなた、なんぼなんでも、結婚式を『てんぷら会』ですよ！」

「『てんぷら会』って、なんです？」

「親戚が集まって、てんぷらを食べるんですって。そういう会をときどきなさるんですって」

「あぁ、『てんぷらを食べる会』」

「それはいいわよ。いいことよ。親戚で、みなさんで、召し上がったらいいじゃないの。だけども、お嬢さんや息子さんの結婚式もしないでおいて、『てんぷら会』でもって、『倅《せがれ》はこのたび結婚いたしました』と報告して、それで済ませようというのよ。それが経済で、簡易生活で、時局にあった暮らし方だというんでしょう？　わたし、なんだか悲しくなってしまってよ」

「はぁ。少し、なんというか、悲しゅうございますね」

「悲しいでしょう、タキちゃん！　花嫁さんにとっては、一生に一度の日よ。それを、なんでしょう、『てんぷら会』ですって」

奥様は、憤懣《ふんまん》やる方なし、といった表情で、なんども憎々しげにその妙な会の名を挙げられた。そして、夫が自分にも、「てんぷら会」のような生き方を強要するならば、もう、この家を出て文房具屋になるしかない、そのときはタキちゃんもいっしょについて来るのだと、眉を吊り上げて怒るのである。

わたしはひそかに、田舎じゃよほどの金持ちでなければ、そんなに立派な結婚式もしないし、親戚でしょっちゅう「てんぷら会」ができるのなら、それはそれで贅沢な話ではないかと思いもしたが、奥様はなにしろ気に入らなかったようだ。

「世間で敵だと言われるような贅沢をしたいと思っているわけではないのよ、わたし」

奥様はきれいにウェーブをつけた髪に手を当てられた。

このころ街に立ち始めた、「贅沢は敵だ！」の看板のことをおっしゃっていたのだろう。奥様は、前の年に禁止になったパーマネントはなさらず、もともとていねいにこてを当てる方で、戦時中もできるかぎりその習慣は変えずに、御髪《おぐし》を整えるようにしていらした。

「贅沢なんて、わたしだって、いいことだとは思わないわ。だけど、一生に一度、女の子が花嫁さんになる日には、お嫁さんのため、若い二人のためだけに集まってあげたって、よかない？　祝福って、お金の贅沢じゃないわ。なんでもかんでも『てんぷら会』に、いっしょくたにしなくてもいいのじゃなくって？　贅沢で背広を作れと言ってるんじゃないのよ。そんな余裕、うちにだってないわ。でも、いつでもどこでも詰襟じゃあ、気持ちに余裕がなくなるわ。お金じゃないの。気持ちよ。わたしは、そのことが、嫌なの。――タキちゃん、お紅茶淹れて、応接間に持ってきてちょうだい」

奥様はなにか、決心したようにおっしゃられて、お勝手から肩をいからせて引き上げてしまわれた。

「お砂糖は」

と、後姿に声をおかけすると、

「いりません」

とのお言葉が返ってきた。

そこでわたしは、お勝手の鼠入《ねずみい》らずにしまってあるリプトンの青缶を取り出し、少し振って中身の残り具合を確かめ、アルミ銭でこじあけた。

奥様お気に入りのティーセットをあらかじめ温めて、そこに茶葉と新しいお湯を注ぎ、小さな砂時計といっしょにお持ちすると、時子奥様は応接間のガスストーブに火をつけていらした。そう、あのころはまだガス炉だった。それが練炭に変わるのは、もう少し後のことになる。

「タキちゃんもお相伴してちょうだいな」

奥様は笑顔を見せられた。

「あらまあ、滅相もございません」

「いいのよ。気持ちよ。お紅茶なんて、一杯淹れたって、三杯くらい出るんだから。お湯を足してきてちょうだい。二人分よ」

わたしはお勝手に引き返し、お湯を注いだティーポットと、自分の湯呑みを持って戻った。ああ、おいしい、と奥様がおっしゃって、まだ暖まらない部屋に白い息が漏れた。

「このごろ、旦那様、変わられたわ」

ほろっとそんな言葉がこぼれる。

「タキちゃん、そう思わなくって？」

「さあ、わたしには」

「先《せん》はあんなじゃなかったわ。もう少し、おおらかだったわよ」

わたしは滅多なことは言えないと思っていたから、黙って湯呑みを口に当てた。

「お仕事がお忙しいのはわかるわ。責任がどんどん大きくなってるのも知ってるのよ。だけど、以前はもう少し、心が外へ向いてたわ」

「外に？」

「玩具研究とおっしゃって、展覧会や映画にもよく出かけられたし、お食事にもごいっしょしたわ。このごろお外でのお夕食は、玩具組合の会合ばっかり」

「でも奥様、当節、料理屋へ行っても、お米が禁止なんですから、仕方がありませんわ。組合の会合で何を召し上がってるか知りませんが、そんなにいいお料理じゃありませんよ」

あまりいい反論とも思わなかったが、仕方なくわたしはそう口に出した。

「禁止じゃないわよ。節米で、夕方五時から八時までしか出さないってだけよ。それに、行くとこ行けばおいしいもの出してるに決まってるわ」

「まあ、そうでしょうけどねえ」

「だけどね、タキちゃん。外でご飯をいただきたいわけじゃないのよ。わたしの言い方が悪いのかしら。旦那様も同じようなこと、おっしゃったわ」

「すみません」

「謝らなくていいわ。わたしが欲しいのは、心のゆとりなのよ」

奥様はいくらか後ろめたそうにして、ティーカップの縁を彩る金彩を撫でた。

その後、奥様はわたしにこまごました用事を言いつけ、しばらくここにいるから何かあったら来てちょうだいとおっしゃって、お手元の雑誌をお開きになった。『みづゑ』という美術の本で、ちょうどそのころ開催されていた〈紀元二千六百年奉祝美術展覧会〉の特集号だった。

「これ？」

わたしが見ていたのに気づいた奥様は、表紙をかざしてにっこりされた。

「展覧会に行きたいけれど、時間もないから雑誌だけでもと買ったのよ。色がとてもきれいでしょう？　見ているだけで、心に栄養が届くみたいな気がするの」

なぜ、わたしがそれを覚えているかといえば、わたしもその『みづゑ』の同じ号を、いまでも手元に持っているからだ。ほんとうに色が美しくて、いつ見ても心が豊かになる。

戦後、ずいぶん経ってから、偶然歩いていた町の古本屋の店先で見つけたのだ。

奥様との日々が鮮やかに甦ってきて、常にもないことながら、わたしはそれを衝動買いした。

美術の雑誌を買ったのなんて、後にも先にもあのとき一度きりのことである。

6

おばあちゃん、その雑誌、見せて。

昨日、甥の次男の健史が、唐突に言い出した。

このごろでは、健史が読むものと思って書いていて、会う機会があればわざわざノートを渡してさえいるのに、なんの反応もなくなってしまって、味気ない思いをしていた。ちゃんと読んでくれているとは知らなかった。

なんでも大学に気になる女学生がいて、その子が絵本作家志望で『みづゑ』のファンであるため、話題作りに、おばあちゃんの持っている古い雑誌を見せたいという。聞けば聞くほどわけのわからない理由だし、おつきあいのきっかけとして遠回りではないかと思ったが、わたしは行李《こうり》の中から古い雑誌をひっぱり出した。

「すげえ。カラーページ満載！」

掲載された絵のほとんどが美しい色写真であることに感動して、健史も声を上げた。

健史は翌日、雑誌を大学に持っていった。興奮して帰ってきたから、女友達を喜ばすことができたのだろう。

「描いてるの、有名な人ばっかりじゃん。彼女は、すごいいっぱい知ってたよ。梅原龍三郎とか、熊谷守一とか、藤田嗣治、小磯良平、安井曽太郎、中川一政、木村荘八――。

しかも、半端じゃない人数だよね、百人は超えてるでしょ？　これ、いま展覧会したら、すごいことになるって、彼女言ってた。それから、『戦争画じゃないのね』って言うんだよな。戦争中に描かれた日本の絵は、みんな藤田嗣治の『アッツ島玉砕』みたいな絵ばっかりだと思ってたって」

健史は興奮するけれども、それはどう考えてもおかしな話だ。

アッツ島の玉砕は昭和十八年で、〈奉祝美術展〉は昭和十五年なんだから、フジタだか誰だか知らないが、そんな未来予想図を描けるわけがないではないか。

わたしは美術に詳しくないから、健史ほどにも画家の名前を知らない。けれど、そんなことはどうでもいい。無学なわたしにもこれらがいい絵だということはわかる。

屋根に白い雪を積もらせる湯の宿。

船着場の人々。

砂遊びをする子供たち。

木登りをする男の子。

戯れる子犬たち。

お祭りの夜店で子を抱く母親。

能舞台。

黒扇で顔を半分隠した着物姿の女性。

仏様。

竹林。

外国の街角――。

描かれた人はみんな穏やかな表情をしていて、どれもやさしい、美しい、平和な光景だ。

7

昭和十五年といえば、なんといっても〈紀元二千六百年〉の年である。神武天皇が日本第一の天皇として即位されて二千六百年目の、ありがたい年と言われていた。

「紀元は二千六百年／ああ一億の／胸は鳴る」

この奉祝国民歌は、いまでもつい口を衝《つ》いて飛び出すことがある。

式典があったのは十一月のことだった。

あの日は、ぼっちゃんの小学校で運動会が開催された。とても特別な日だったから、お弁当も少し豪勢にしてよし、という通達があり、ぼっちゃんの大好きな助六寿司に、タコのソーセージと卵焼き、うさぎに切ったりんごも添えた。

学校も会社もお休み。だから旦那様も揃って、ぼっちゃんの勇姿を見に小学校へ駆けつけた。朝から始まった競技は、お昼近くにいったん中締めにして、朝礼台に置かれたラジオから流れる、とてもありがたい近衛首相のお話を聞いた。

屋外のラジオ放送がたいていそうであるように、ありがたさの他には、なにを言っているかまったく伝わらなかったが、皇居前広場で行われた記念式典の実況放送があったのである。

近衛首相の、

「天皇陛下、万歳！」

に合わせて、その場にいた全員が、万歳三唱をした。

それからまた、運動会を再開。

ぼっちゃんも、徒競走では負けたが、玉入れではずいぶん活躍された。

「あんなにコントロールがいいのだから、玉に名前を書いて投げ入れれば、殊勲賞ものだ」

と、旦那様がおっしゃった。

この日の奥様はとても楽しそうで、いくらかご機嫌が直ったようだった。なにしろお祭りの好きな方だったから、久しぶりに家族でお出かけしたのがうれしかったのだろう。

考えてみれば、本来なら昭和十五年の秋には、ぼっちゃんの小学校の運動会ではなくて、世界一を競う運動会、オリンピックが開かれるはずだったのだが、そんなことを思い出す人は一人もいなかった。

旦那様も穏やかな面持ちで、ぼっちゃんの競技を見つめていらした。

翌日だったか、翌々日だったか、ご家族は銀座に繰り出し、わたしもお供させていただいた。奉祝の間中、都心の飲食店の制限も解かれて、昼からお酒もお米も供されるとのことで、旦那様がお食事に連れて行ってくださったのだ。

久々の外食。わたしはカレーライス。心が晴れやかになる一日であった。

お食事の後で、目抜き通りの旗行列にも参加した。

「タキちゃん、タキちゃん！　あれが花電車よ！」

奥様は歓声を上げられた。

昔見た、帝都復興祭の花電車をいつも懐かしそうに語り、

「タキちゃんにも見せてあげたかったわ」

が、口癖だった奥様は、夢が叶ってうれしいとばかりに、わたしの肩に手を添えられた。

ご一家はこの日、写真館で記念撮影をされた。

田舎に帰ることになったとき、わたしが奥様からいただいた写真だ。

旦那様はとても上等なウールのスーツをお召しで、奥様は白い襟とカフスをつけた品のいいワンピースに帽子をかぶっていらした。真ん中に立つ、ぼっちゃんの蝶ネクタイもかわいらしい。

それから、ぼっちゃんがどうしても『孫悟空』を見たいと言うので、映画館に行った。

わたしはお先に失礼しようと思ったが、

「お祭りなのよ。いっしょにいらっしゃい」

と、奥様が引き留めてくださった。

全編、歌あり踊りありの、エノケンの孫悟空の楽しかったこと。あんなの、いまどきの日本じゃ、作れないんじゃないだろうか。

子供用の映画につきあわされた形の旦那様も、如意棒が飛行機に化けたり、孫悟空一行が未来の国に飛んでいったりするのを見てすっかり感心して、

「ほー。やはり玩具研究には映画を見に来なければだめだなあ。開発部の連中にもさっそく勧めよう」

と、しきりに顎を撫でていらした。

家に帰っても、しばらくの間は、ぼっちゃんは孫悟空、わたしは猪八戒になって、

「空とび、土もぐり、水をくぐれるのは～」

と、歌って遊んだのを思い出す。

このときばかりは、赤飯用もち米の特別配給もあり、おこわを炊いて豪華晩餐会をしたことも忘れられない。

8

それからひと月もした頃だったろうか、年の瀬も近づいてきた師走の半ばに、旦那様

と奥様は、また一つ派手な夫婦喧嘩をなさった。

派手といっても、おとなしいご夫婦のなさることだから、茶碗が飛び交うようなこともない。きわめて品のいい、口喧嘩ではあったが、それでもわたしやぼっちゃんがびっくりするには十分なほどの、声の大きな諍《いさか》いだった。

しかも内容は、家庭経済のことではなくて、ご夫婦が歌舞伎座の音楽会に行くか行かないかの話だったため、なぜあんなに奥様が興奮されていたのか、ちょっと不思議でもあった。

旦那様がお夕食の後でなにげなく、

「土曜日は協会の集まりがある」

と、おっしゃったのがきっかけだった。

「あなた、その日は歌舞伎座よ」

珍しく険《けん》のある口調で、奥様がそれをおとがめになったのだ。

「歌舞伎座？　ああ、あれか。音楽会か」

「そうよ。お忘れにならないで。社長さんのご招待よ」

「社長はその席で大事な接待があるのでね。代わりに協会の集まりには私が行くことにしたんだよ」

「あらやだ。このごろ協会の集まりばかりじゃないの」

「こんどのは、輸出玩具協会の集まりで、このあいだまでバタバタしていたのは玩具工業組合の集まりだ」

「どっちだって同じようなものだわ」

「同じじゃないよ」

「じゃ、どうなさるの、歌舞伎座は？」

「どうって。行かれないよ。第一、土曜日の昼だろう。仕事があっちゃ、無理だよ」

「だって、券を二枚、いただいてるのよ」

「しょうがない。お返ししよう」

「なんですって？」

奥様はその場に目を剝いて倒れそうになった。

お食後のみかんを召し上がっていたぼっちゃんと、何事かと思ってお勝手から駆けつけたわたしは、こっそり目配せを送りあった。

「ずいぶん前に、いただいてるのよ」

「ああ、こっちは急に決まったんだ。しょうがない」

「お返しするって、おっしゃるのね！」

「だって、無駄にするわけにもいかんだろう」

「ああ、そうですか。わかりましたわ！」

まったく納得していないことだけが、誰にでもわかる口調で、奥様はそうおっしゃるなり、空中の一点を凝視して動かなくなった。

「なんだ、きみ。難しい人だなあ。返しちゃいかんのかね」

「いいえ。そんなことありませんわ。お返しするっておっしゃるなら、そうなさって」

「なにを怒ってるんだい」

「怒ってませんわ、ちっとも」

「怒ってるじゃないか。なんだ、子供の前で。みっともない」

旦那様が吐き捨てるような口調でおっしゃり、それを聞いた奥様の顔から血の気がさーっと引いていって、

「お返しになってくださいな。ええ！」

と、一言叩きつけると、小走りに廊下へ出て、応接間に閉じこもってしまった。

「なんだ、あれは」

旦那様が不愉快そうに新聞に目を落とされ、凍ったような沈黙が茶の間を支配することになった。

ところがしばらくして旦那様は、なにか思いついたように立ち上がられ、応接間に入っていかれた。

「なにも二枚とも返すとは言ってない。きみだけ行ったらいいだろう」

比較的落ち着いた口調の旦那様にかぶせるように、また興奮した奥様の声が続く。

「そんなこと、できませんわ。あなたがいらっしゃらないのにわたしだけなんて！」

「かまわないだろう。会社の用事で行かれなくなったんだ。仕方がないじゃないか」

「あなたがいらっしゃらないなら、わたしも行きませんわ」

「誰か、睦子さんでも誘ったらいいじゃないか。社長のほうでも、ただ無駄になるよりはいいと思ってくれるさ」

「だって、あなた、いただいたものをそんなふうによそへ回せませんわ。だいいち、あさっての今日ですもの、誰かに譲ろうったって、間に合わないわよ」

「困った人だね、そう頑固じゃあ。少しは年を考えなさい。いつまでも、お嬢さん奥さんみたいな気持ちでいられたんじゃあ、こっちが迷惑する」

「わたしに、分別がないようにおっしゃるのね」

「あるようには見えないね」

「ところがございますの。いただいた切符を勝手によそへは回せませんわ。常識ですわよ」

「こっちは、きみが行きたいだろうと思って」

「行きたい行きたくないという話じゃないわ。社長さんのご招待だから、常務の妻として伺わなくちゃならないと思ってたんですよ！」

「いちいち大きな声で言わなくてもいいだろう」

「あなた、それ、ぜひ、お返しになってね」

「ああ、返すよ！」

応接間の戸が大きな音で閉められ、旦那様が大またで茶の間に戻られた。

それはまあ、たいへんな形相だったので、寝なさいと怒鳴られる前に、ぼっちゃんは大急ぎで二階に引き上げてしまった。

翌日の朝御飯までは、微妙な空気が漂っていたのだが、午後になると奥様はお庭に出て、淡紅色の椿を切って戻られた。花鋏《はなばさみ》で整えて、鉢に生けたものは応接間に、一輪挿しはお玄関に。飾って一息つかれたころには、もうすっかり夕べのことは忘れていらっしゃるようだった。お花を生けるときは、とても柔和な顔をしていらした。

ところがその日の夕方、お帰りになった旦那様が、話を蒸し返されたのだ。

ネクタイを緩めて上着を脱ぐと、内ポケットから旦那様は白い封筒を取り出され、卓袱台の上にぽんと放り投げた。

「無駄になるのも残念だから、奥さんだけでもと社長が言うんでね」

「あら、これ？」

「もう一枚は、どこかよそへ回すそうだ。今日の明日で、代理を二人探すのもたいへんだしね」

「じゃあ、わたしだけ？」

「ああ」

「いいのかしら」

「これ以上、面倒はごめんだよ。社長さんのご招待なんだから、必ず行ってくださいよ」

普段の袷《あわせ》に着替えて兵児帯《へこおび》を腰に回しながら、すっかり疲れた表情でおっしゃったその口調は、たしかに少し慇懃《いんぎん》で、いつもの旦那様らしくなかった。

そうですか、と静かな口調で奥様は答え、その後はなにもおっしゃらなかった。

9

音楽会の日、奥様は、紺のお召に雪笹を描いた薄鼠色の帯を締め、光沢のあるビロードの道行を羽織って出かけられた。

おとといの大騒ぎはどこへやら、

「久しぶりの歌舞伎座ね」

と、こころもち、はしゃいでいらした。

「いい子にしていたら、お土産を買ってきますよ」

ぼっちゃんは、それを聞くと、こっそりわたしにむかってしかめっ面をしてみせた。いっしょに行って自分で選ぶなり、アイスクリームを食べさせてもらえるのでなければ、意味はないと思ったのだろう。

けれども夕方になって奥様が家に戻られ、

「恭ちゃんには特別のお土産があってよ」

と、一冊の漫画本を手渡したときには、ほんとうに驚いた顔をなさった。

「どうして、ぼくの欲しいものがわかったのさ」

「そりゃ、わかるわ。母親ですもの」

真面目な顔で返事をしてから、

「違うのよ。それ、板倉さんにいただいたのよ」

奥様は、ぷっと噴き出された。

「歌舞伎座でばったりお会いしたのよ。なんのことはない、お父様がいらっしゃるはずだった券を、社長さんにいただいたんですって。会社にクラシックを聴くようなのは、ほかにいないんですとおっしゃってたわ。仕事を半ドンで切り上げて急いで来たって、息をはあはあさせていたのに、恭ちゃんにお土産忘れないで下さるなんて、ほんとにいい方ね」

奥様の頬はこころなしか上気して、目も少しだけ潤んだような光を放った。

「セイちゃんが持ってて、ぼくは欲しくてたまらなかったのさ。だけど、うちじゃ、漫画は買わないと言ってたでしょう？　だから、買ってもらえないと思い込んでたんだ」

ぼっちゃんは嬉々として、真新しい『火星探険』のページを開いた。

「あら、全部色刷りなのね」

「そうだよ。すごくおもしろいんだ。ああ、今日、どうして、こんないいことがあったんだろう？　こんな日が来るとは、夢にも思わなかったよ」

ぼっちゃんがあまりにおおげさなので、奥様は大笑いなさった。

そして一日中、とてもご機嫌がよかった。

旦那様がお帰りになると、

「行ってまいりました。社長さんと奥様と、それから、会社の板倉さんにお会いしましたの」

とだけ、簡単に報告されたが、旦那様のほうも関心がないらしく、

「ふむ」

と、うなずかれて、その話はおしまいになった。

後から考えると、この時期、旦那様の会社はとても難しい局面を迎えていらしたのだが、わたしなどにわかるわけもないし、奥様も細かいことまではご存知なかったはずだ。

奥様のご機嫌のよさは、それからもしばらく続いた。

お花の絵のついた美しい和紙に、〈於東京歌舞伎座　紀元二千六百年奉祝樂曲發表演奏會〉と印刷されたプログラムは、応接間の飾り棚の、歌集と『みづゑ』の間にしまわれた。昭和十五年十二月十四日、入場料は二・五円とスタンプを押した券もはさまっていた。

年末に、挨拶がてら立ち寄った睦子さんを応接間にお通しした奥様は、棚からそのプログラムを取り出して、自慢げにお見せになった。

「リヒャルト・シュトラウスの〈祝典音楽〉も、よかったけれど、なんてったって素晴らしかったのは、山田耕筰の指揮したイベールの〈祝典序曲〉よ」

「あら、あなた、奉祝演奏会、行ったの？　よく券が手に入ったわね」

「いただきものよ。会場でばったり、板倉さんに会ったの。話したことあったでしょ。主人の会社のデザイン部の。あの方、クラシックにとてもお詳しいの。板倉さんはね、シュトラウス翁は、やはりお年のせいか、往年の輝きに比べると少し落ちるというの。だけどイベールは、曲も、指揮も、演奏も、これだけのものは世界中でもなかなか聴けないんじゃないかというのね」

「当たり前じゃないの。世界中の有名な作曲家が、仏、独、伊、ハンガリーから選りすぐられて、紀元二千六百年を奉祝する我が大日本帝国のために、わざわざ作曲したんですもの。なによりすごいのは、そのことですよ。素晴らしい以上に、皇紀二千六百年の悠久の歴史に思いを馳せれば、この豊葦原瑞穂国《とよあしはらのみずほのくに》に生まれたことのありがたさに、涙が流れそうになるわねえ」

「涙が流れるとか、そういう感じではなくて、イベールの〈祝典序曲〉は、リズミカルで明るいの。そこがなんといってもいいと、板倉さんも言ってたわ」

「んもう。時子さん。世界中が、大日本帝国の紀元二千六百年を祝福しているのよ。世界屈指の大音楽家が幾人も、我が大日本帝国のために楽曲を奏したのよ。そのめでたさ、ありがたさに、感極まらないの？」

「そうね」

睦子さんに押し切られるようにして相槌を打った奥様は、どこか上の空で、思いついい

たように棚から『みづゑ』のほうも取り出して、

「板倉さん、上野の美術展も行ったそうなのよ」

と、おっしゃった。

睦子さんは、あらそう、と、それにはあまり興味を示さずに、あいかわらず、世界も注目する皇紀二千六百年のありがたさを力説していた。

わたしの頭の中を、鎌倉の陽炎の中に立つ、白いシャツの板倉さんがよぎった。

第五章　開戦

1

祝い終わった、さあ働こう。

皇紀二千六百年の祝典が終わった後、町のあちこちには、そんな標語が立てられた。

けれども、わたしが覚えている限りの時子奥様は、働くのは、まるで不向きだった。お祝いとか、お祭りとか、お出かけとか、お客様とか、「お」のつくことをなさるのが似合う方だった。ほっぺたを桃色に上気させて、楽しく過ごされるのが似合っていた。

「一家に一つ門松を立てるのは贅沢すぎる」だの、「年賀郵便の虚礼は廃止」だの、そんな話を聞くたびに、つまらなそうな顔をなさった。あのころは銘仙流行りで、百貨店はこぞって宣伝していたけれど、

「銘仙は昔作ったものが、わりにいいから、新しいのを仕立てる気にならないわ」

そう、おっしゃる奥様は、かわりに洋装の生地を買われて、

「ねえ、わたし、タキちゃんの作ってくれる、ブラウスやワンピースや、スーツのほう

がいいわ。そのほうが自分好みのものができるんですもの」

と、わたしをおだてる。ミシンの使い方は、奥様から習った。それに、まるで中原淳一みたいな細い女の子のスタイル画を描いて、ご自分で型紙もお作りになるのだ。たいへんな褒め上手だったから、出来上がると大喜びで、いい、いいとおっしゃった。

「タキちゃんは、見えないところに手を抜かないのね。それがお裁縫のいちばん大事なところねえ。わたし、見た目にきれいにするのは得意だけれど、あんがい雑なところがあるから早くほころびが出てしまったりするのよ。やっぱり、タキちゃんに頼むのが正解だわ」

なんといったってモデルがいいから、わたしも仕上げたものを見るのが楽しかった。

「タキさん、なんでもよくするのねえ」

と、ご近所の奥様たちにも褒められたものだ。いい働き手は工場へ取られて、女中のなり手がない時代だったから、よくまあタキさんほどの人が見つかったものだと、奥様はしょっちゅう言われていたらしい。

「あらだって、嫁入り前から、もうずっといっしょなんですもの。そんじょそこらの女中さんとは、年季が違ってよ」

とびきりいいお召し物や宝石を褒められたときのように、自慢げに目を細める奥様を見るのは、自惚《うぬぼ》れをくすぐられるひと時であった。

また正月がやってきて、奥様は美しいお着物をお召しになったけれど、地味に、地味にと、世の中が言うものだから、柄の大きいお召し物は極力控えていらしたように覚えている。それでも奥様のお着物は上品で、上質な雰囲気があった。

2

板倉さんが年始の挨拶にみえたとき、あいにく旦那様はお留守だった。社長さんとごいっしょに、重要な新年のご挨拶先があるとかで、三が日も明けないのにどういうことかしらとご機嫌の悪かった時子奥様は、お玄関にみえた板倉さんを見て、ぱっと明るい表情に変わられた。

「平井さんがいらっしゃらないなら、失礼します。近くまで来ていたもんだから、つい、寄っちまって」

板倉さんはそう言って、菓子包みを差し出された。

「あら、お気を遣わせたわねえ。主人はまもなく帰りますから、上がっていらして。お夕飯、食べていらっしゃいよ。独り者なんだから」

奥様がずいぶん打ち解けた口調でいらしたのが、印象に残っている。

恭一ぼっちゃんも、板倉さんがみえたと聞くと、二階から『火星探険』を持って降りてきた。

「ぼく、これ、いちばん好きな漫画だよ。『のらくろ』よか、こっちが好きだよ。テン太郎が火星に行って、おなかにトマトが生える病気になるところと、猫のニャン子がどんなにヒゲがだいじか説明するところが、うんと好きなんだ」

「そうだろう？　いいだろう？　まあ、『のらくろ』もおもしろいけどね。火星行きは、夢があるだろ？　だいいち、大城のぼるは天才だよ。よくぞこんな絵を描いてくれたもんさ」

大真面目に答える板倉さんに、奥様がおもしろそうにちゃちゃを入れる。

「あら、板倉さんは、子供の漫画をそんなにたくさん、お読みになってるの？」

「いまやぼくには、玩具研究という言い訳がありますからね」

「まあ。それは立派な言い訳ねえ」

「実は、帝美時代に、漫画家になろうかなと思ったこともあったんです」

「おや、建築家じゃなかったの？　気が多いこと！」

奥様は大きな瞳をくるくる回し、少し年下の板倉さんをからかうみたいにして、くったくのない明るい声で、笑われた。

やり込められた形の板倉さんも、あまり何もわかっていないぼっちゃんも、つられて笑って、玄関がにわかに正月らしい賑やかな雰囲気になった。

「さあさあ、突っ立ってないで、お入りになって。タキちゃん、応接間に、お茶お願いね」

言われてお勝手に立ち、和菓子とお茶をお盆に載せて戻ってみると、奥様と板倉さんは奉祝美術展の雑誌をごらんになっていた。

片一方の手で、恭一ぼっちゃんのわら半紙に、器用にテン太郎とニャン子の似顔絵を描き、もう一方の手で開いた雑誌のページを支える板倉さんは、専門の美術の知識を、傍らの時子奥様に披瀝《ひれき》していらした。まるで先生を前にした女学生のように、ふんふんと真面目に相槌を打つ奥様のお姿は、それまでわたしが目にしたことのない表情だったので、よく記憶に残っている。

美術展覧会から、音楽会へと話は移り、それから長谷川一夫の『昨日消えた男』という映画がおもしろそうだという話、果ては、マルタン・ド・ゴールみたような名のフランス人の作家の書いた、『待ちぼうけの人々』とかいう本など、次から次へと話題は繰り出され、奥様は感心しきって相槌を打つ。

わたしは、奥様が二十二のときから知っているけれど、旦那様の前ではけっしてお見せにならないお顔だった。あの、雨の夜に死んでしまった、最初のご主人には、見せたことがおありだったのだろうか。

時子奥様と板倉さんは、いくつ違うのだろうと、急にそんなことを考えた。

あの年、わたしが二十四歳で、奥様は三十二歳になられたはずだった。旦那様は、すでにもう、四十五、六になろうというお年だった。奥様はお若く、旦那様は老け顔だったので、下手をすると親子のように見えることがあった。ご苦労があって、旦那様の御髪には、白髪が増えてしまったのだ。

板倉さんは、二十六歳だった。そのことがわかったのは、ほんの小一時間かそこら、後のことだったが。

というのも、その小一時間が経つやら経たないころに、旦那様が社長さんといっしょに戻られて、唐突に板倉さんの年齢を問いただしたのだ。

重要なお年始廻りが、平井家の存外近くだったため、家に寄ってくださいという話になったらしい。

お帰りになった旦那様は、板倉さんがいらしているのを見ても、べつだん不思議そうにもしなかった。息子のような年齢だったから、書生さんでも出入りさせている感覚だったのだろう。

「おい、板倉君、きみ、新年早々、お邪魔してるのかい」

と言ったのは、社長さんで、年始に自分のところには来ずに平井家に来ているのが、少し気に入らなかったのかもしれない。

旦那様は、かえって気遣って、板倉君は帝美時代の下宿が近いので時々寄るんです、通りがかりみたいなもんですよ、とおっしゃった。社長と常務が現れて緊張した板倉さんは、ぼくはもう帰りますと言い出したが、逃げ出すことはないじゃないかと社長に言われては、今度はその場にいるよりほか、なくなった。

「そうよ。賑やかなお正月になって、わたし、うれしいわ。これからお食事の用意をしますから、時節柄、特別なものはなんにもできませんけれど、社長さんもどうぞ、召し上がって行ってくださいませ。板倉さんも、どうぞ」

奥様が、わたしに目配せをされ、お夕食の支度にとりかかるために応接間を出ようとされたとき、社長さんが大きな声で、

「ときに板倉君、きみ、いくつになった？」

と、尋ねられた。

「二十六です」

「若いな」

旦那様がおっしゃると、社長さんは混ぜ返すように続ける。

「しかし、そろそろ嫁さんをもらう年だな」

「まだ、いいです」

「よかない。きみがよくても、世間がいいとは言わない。戦時でまともな男は不足しとるんだ、引く手あまただぞ。女学校出の美人さんが、結婚したくてうずうずしとる」

「ぼくはまだしばらく、独りがいいです。三十くらいになってから、考えます」

「いかん、いかん。いいかね？　昨年の我が国男女の結婚年齢は、女二十五歳、男三十歳が平均だ」

「男は三十まで独身が普通ですよ」

「それがだめだと言うんだね。大正十二年ごろまでは、女二十歳、男二十五歳が結婚年齢だったんだ。医学的にも、二十から二十四までの女が、出産にはいちばんいい。二十

五を過ぎると、とたんに出産率がグッと落ちるんだそうだ。大東亜建設も道半ば、神州日本では、将来を担う子を一人でも多く殖産せにゃあならん。であるから、この結婚年齢も、大正並みに引き下げることが必要だと、医学博士が主張しておるんだ。早けりゃ早いに越したことはない。まあ、女と違って、男はいくつになっても、子供は作れますがな」

出先でお酒を飲んできたらしい社長さんは、そう言って、品なく笑った。旦那様がどうお返事されたのかは、部屋を出てしまったのでわからない。

お勝手に戻って割烹着をつけた奥様は、なあに言ってるのかしら、と鼻で笑われた。

「板倉さん、結婚なんて、まだまだ、早い、早い」

「はあ、そうですねえ」

わたしは気の抜けた答えを返した。田舎では、もっと若く嫁をもらうものもたくさんいたし、とくに早いとも思わなかったのである。

「早い、早い」

相槌が気に入らなかったのか、奥様は念を押すように繰り返された。

「早いですねえ」

「早いわよ。だんぜん、早いわ」

うれしそうにうなずいて、それから奥様はきびきびと料理の手順を指図された。

3

お煮しめや、小魚の佃煮を肴に、お客様がお酒を愉しまれている間に、時雨煮《しぐれに》にしておいた浅蜊《あさり》で炊き込みご飯を作り、これも暮れに味よく煮ておいた鰯を、一口大に切って片栗粉をまぶし、から揚げにした。

「あらまあ、タキちゃん、アイデアだわね」

と、奥様は喜ばれた。わたしは、昔から工夫上手だったのだ。

旦那様は、とっておきのコンビーフの缶詰を開けてくれとおっしゃった。

なにしろ社長さんは、食べ物もなにもかもアメリカびいきで、お魚よりお肉のほうがお好きと公言されていた方だったのだ。統制でお肉を召し上がる回数が減ってきたのを、悔しそうにおっしゃるものだから、少しでも、と旦那様は思われたのだろう。

お料理をお持ちするたびに耳に入ってくる社長さんのご放談は、日米戦是か非かというようなお話だった。少なくとも、昭和十六年のお正月には、社長さんは、

「アメリカとは、戦争にはならんだろう」

と、おっしゃっていた。

あの夜、社長さんはたくさんお酒を召し上がり、わたしは闇で調達した日本酒がなくなりゃしないかとひやひやした。

ご飯を終えたぼっちゃんをお部屋にお連れして、すっかり賑やかな宴席に変貌した応接間に戻ってみると、日米戦争の話題はいつのまにかおしまいになっていて、神州日本の結婚難の話が、形を変えて蒸し返され、お給仕に出たわたしまでが、まないたの上の鯉になってしまった。

「ところで、ここにいらっしゃる翼賛型美人さんも、まだお嫁入り前ですかな」

すっかり酔っ払って赤くなった社長さんが、そんなことを言い出したのだ。

そのころは、「翼賛」が、ばかに流行っていて、翼賛型経済だとか、翼賛型生活だとか、真面目で正しくいいものはみんな「翼賛」ということになっていた。

「タキちゃんも、そろそろどこかへ片づかなくちゃいけないね」

旦那様が横からお答えになった。

「知っとるかね。近々、大政翼賛会から、翼賛型美人の標準が発表になるそうだよ。どうも若者は流行に流されて、細くて青白い蒲柳《ほりゅう》の質を美人と思いたがるが、これがなんとも国策に沿わない。きみなどもそうだろう。蒲柳が好みだろう」

社長さんが決めつけるので、板倉さんは少しうんざりして、違いますよと言った。

「だからお上が、多産型の、どっしりしたお尻の子を美人と決めることにしたらしい。翼賛会主導で、新流行の後押しですな。奥様のような柳腰は旧美人、女中さんのような腰回りの大きいのが新型美人の典型ということになりましょう」

「それじゃあ、我が家は、新旧取り揃えておると」

「これはうらやましいですなあ」

旦那様と社長さんのやりとりは、そんなふうだったので、奥様もこっそりしかめっ面をなさった。

潮時と思ったのか板倉さんが、それじゃあぼくは社長をお送りしますと言い出して、わたしは駅前まで電話を借りに走り、黒塗りのタクシーを頼んだ。

タクシーを待つ間も、社長さんはさまざま持論を展開されていたが、板倉さんはすっかり醒めてしまったようだった。だいいち、上司の前では青年はひどくおとなしく、奥様の前で次々開陳してみせた知識も、見せようがなかったのだった。

車が坂を上ってくると、板倉さんは社長さんを追い立てるようにして玄関に連れ出した。

「もちろん、戦争になれば、日本が勝つことは見え透いていますがね」

にわかに日米戦が気がかりになったのか、赤い顔の社長さんはそんなことを口走った。

「しかし、どうも、あの国は嫌いになれんところがある。始めんほうが、いいのじゃないかと思うんだ」

「まあ、近衛首相も、おおかた社長と同じ考えでしょうから、始まることはないでしょう」

旦那様は、なだめるようにおっしゃったが、板倉さんは酔っ払いにいつまでもしゃべらせてはおけぬとばかりに、少し強引に車に押し込んで、それではと行ってしまった。

戸締りをして、お勝手の片づけに戻ると、そこに奥様がいらしたので、

「わたしも、まだお嫁にいきたくありません」

ついそう口に出すと、なにを言い出したのやらと不思議そうにこちらを見た奥様は、話の流れを思い出したらしく、

「だめよ、タキちゃん。片づかなくっちゃ。あなた、ちっとも早かないわ」

と、おっしゃった。

4

そんなことばかり思い出すのは、あの年は国中で結婚難を話題にしていて、身の回りでもいくつも縁談が成ったり壊れたりしたからだ。

中でも二つの大きな騒動は忘れがたい。

たしかに、あれは吉事というより、ただの騒動だった。考えてみれば、昭和十六年は、戦争が始まるまでは、なんだかまるでいいことがなかった。

旦那様は珍しいくらい不機嫌だったし、そのせいで奥様もきりきりしがちだった。

ぼっちゃんが学校で、赤マントの話を聞いて眠れなくなったのも、あのころだったのじゃなかったか。便所にひとりきりでいると声が聞こえて、「赤マントがいいか、青マントがいいか」と訊かれるのだという。「赤マント」と答えれば、切り刻まれて血だら

けになって死に、「青マント」と答えると、血を吸い取られ真っ青になって、いずれにしても殺されるのだそうだ。嫌な話が流行ったもんだ。

祝祭が終わってからは、急に引き締めも強くなり、食べ物はみんな配給になるし、外食は切符制になるし、米屋は営業停止になるし、いろんなことが窮屈になってきた。ガスの使用制限が出たのもあのころだったか。まあ、だからといって、お勝手がさみしくならないように、最大限の工夫をしたことは言うまでもないけれども。

一つ目の見合いは、ほかならぬ、わたしの身に降ってきた。

見合いというより、結婚そのものが降ってきたのだ。このことは、いまでは身内のものもよく知らないことだ。

奥様は常々、いい人を見つけてタキちゃんをこの家からお嫁に出すのが夢、とおっしゃっていたものだが、縁談は山形の田舎からやってきた。

二十四にもなる娘がいるのに未だに嫁にやらないとはどういうことだと、里の両親が隣組で叱られて、あわてて決めた話だった。見合いも何もあったもんじゃない。なにしろ相手はソ満国境の警備へ行っている兵隊さんで、夏には満期除隊で帰ってくるからすぐに所帯を持てと、隣組が勝手に進めてしまったのだ。

写真も黒すぎて白目の位置しかわからないし、会ったこともないから好きも嫌いもないけれど、田舎の親が戻れというのだから仕方がない。夏に見合いをしろ、という話ではない。いっしょになることはすでに決まっていた。

わたしは奥様やぼっちゃんとお別れするのがつらくて、泣けて、泣けて、たまらなかった。奥様も、どこか近いところへ嫁に出して、通いで女中を続けさせたいと考えていたので、ご不満だった。

けれども旦那様は、

「うちのように人数の少ない家で、女中を置くのが贅沢なんだ。タキちゃんが、これから三人も四人も子供を産んで、お国にご奉公するのを、うちの勝手で邪魔するわけにはいかないじゃないか」

と一喝された。

「なんですって。あなたは、うちにタキちゃんがいなくたって、いいとおっしゃるの？」

「そうじゃない。私だって、ずっといて欲しいと思っているさ。しかし、お国のお役に立つのを、止めることはできないと言ってるんだ。出征兵士だって、戦場は選べないんだぞ！」

というわけで、わたしは戦場を選ばず、田舎の隣組の決めた相手に嫁ぐことになった。

5

え？　おばあちゃん、結婚したの？

甥の家からおすそ分けの米を担いできた健史にノートを読ませると、こちらの思惑通り、びっくりしてくれた。誰にも言わずに墓場へ行こうかと思っていたが、やはり書いておいてよかった。

「いつのことだよ？」

「あれはたしか、ぼっちゃんの通う小学校が、国民学校と名前を変えた四月あたりのことだったね、昭和十六年の、四月」

「ぜんぜん、知らなかった」

「六月には田舎に帰ることが決まって、ご近所中に挨拶だって済ませたんだよ。防火訓練なんか、ずいぶんよくやってたから、近所の方にも惜しまれたもんでしたよ。あの家を出る日が近づいたら、繕い物してても、涙で糸が針を通らなくなっちゃってねえ。せめてご家族の口に入るものだけでもと作り始めた庭の畑で鍬《くわ》をふるってたって、ああ、これが無事育っても、わたしがお料理して差し上げる日は来ないと思うと、胸がこう、痛くなっちゃって」

思い出して目頭に手を当ててるわたしに、甥の次男は心を動かされた様子もなかった。

「聞いたことなかったね。ほんとの話なの？　前から言ってるけど、こういうものは、嘘書いたって仕方がないんだから、正直に書きなよ」

あいかわらず、説教好きの健史は言う。

種を明かせば、こういうことだ。

田舎に戻るのもあと数日に迫った頃、相手の兵隊さんが、死んでしまったのだ。歩哨《ほしょう》中に心臓発作を起こしたとか、そんなような理由だった。流れ弾に当たったとも聞いたが、その当時、ソ満国境で戦闘はなかったはずだから、名誉の戦死にするために話が作られたのかもしれない。

嫁入り話は流れ、未亡人とは言わずとも、結婚相手に死なれたタキちゃんは、奥様がおっしゃるには、

「うんと、かわいそう」

なので、またなにかいい話でも来ない限りは、田舎に戻すわけにいかないと旦那様もご判断され、平井家でのご奉公が続くわけである。

6

それよりもずっと大きな見合い騒動は、夏に訪れた。

旦那様は、会社のことを何もおっしゃらなかったから、詳しいことは奥様もご存知なかったけれど、だんだん、街中のベンチや川っぺりの柵が鉄製から木製に変わっていくので、ずいぶん前から平井家では話題になっていた、国を挙げての金属不足が、はっきり目に見えてきていた。

旦那様の会社は国内向けにはとっくに金属玩具をあきらめて、木製や紙製に主力を移していたけれど、それでもなんとかお役人と交渉したり、闇で調達したりして、ほそぼそと輸出用の金属玩具を作っていた。

そんな日々の中、旦那様が、見合い写真を二枚、会社から持ち帰られたのだった。

「社長から頼まれたよ。翼賛会生活部の、わりに顔の利く人の娘と、統制のほうをやっている、お役人の親戚筋に当たる娘さんだそうだ。両方とも、そう難しいことをいう家ではないらしい。どっちか一人、板倉君にどうかと言うんだ」

「板倉さんに？」

「ともかく当節、若い男が戦争に行っていて、いない。ところが国は殖産政策で結婚を奨める。若い娘を持った家は、血眼《ちまなこ》で婿を探してるそうだよ。幸い、あの男は年齢もいいし、見た目も悪くない。眼鏡をかけるのと、気管支が弱いせいで、兵役検査じゃ丙種だそうだ。会社員で、二十六で、戦地には行かない。こんな好条件はなかなかないさ。いまどき、傷痍《しょうい》軍人だって引っ張り凧《だこ》だそうじゃないか。この二人の娘さんのうち、どちらか一人でも決められれば、我が社としてもいろいろ都合がいい。板倉君も、現実味がない、子供じみたところがあるから、嫁さんでももらって、少し落ち着いたほうがいいだろう。どうだい、お前、まとめられそうかね？」

問われて、時子奥様は、きょとんとされた。

「まとめるって、わたしがですか？」

「こういうことは、女のほうが上手い」

「そうでしょうか」

「なんだ、頼りないね。板倉君とは、うまも合ってるみたいじゃないか。女の好みくらい聞いてないかね。奴は、田舎に兄さんがいるきりで、親を早くに亡くしてる。常務といえば親も同然。常務夫人なら、母親代わりだ。一つ、面倒をみてやってくれよ」

旦那様は、疲れたのをわからせるために、首だの肩だのをくるくるとまわし、この話はすっかり任せた、もう自分の手を離れたよ、と言わんばかりの態度に出た。

奥様は居心地悪そうに、見合い写真を受け取った。

写真は二枚とも、今年女学校を出たばかりのお嬢さんのものだった。

お嬢さんたちの写真をちらりと見たきり、奥様はそれを茶の間の簞笥の上に置いた。

何日かして、

「板倉君を呼んでおいたから、話をしてやってくれ」

と、旦那様がおっしゃった。

7

日曜日の午後のことで、旦那様ご自身は、社長さんとどこやらへ出かけてしまわれた。

思うに、お見合いの世話のようなことが心底苦手だったのだろう。お仕事となるとたいへんご熱心でも、男女の機微には、ご興味がなかったようだ。

ご自分のご結婚も遅かったくらいだから、そういうこと全般が得意でなく、若い者に身を固めろと説教するのは面倒だったのだろう。社長さんの手前、引き受けざるを得なかったから、社交的な妻に押し付けて、なんとかしてもらおうと思ったに違いない。

あの男には子供じみたところがあると、旦那様はおっしゃったが、たしかに板倉さんは少し少年のようだった。仕事や戦局や経済の話が苦手で、漫画や紙飛行機のほうが得意だった。旦那様がいらっしゃるときは猫のようにおとなしく、そうでないときは元気だった。いっしょにお酒を飲むような場面では、旦那様が勢いよくお話しされていると板倉さんは寝ていて、板倉さんが起きているときは旦那様が寝てしまう。

旦那様には、ひどくおとなしい若い男にしか、見えていなかったかもしれない。

ずいぶんと目算を誤ったものだ。

ひどく蒸し暑い日の午後に、板倉さんはシャツの袖を捲り上げて坂を上ってきた。庭から回り込んで縁側にあらわれ、家の主人が不在だと聞くと気が楽になったのか、

「暑い」

と言うなり、シャツを脱いでランニングになってしまった。

痩せた体に薄く筋肉をつけた上半身をあらわにして、板倉さんは恭一ぼっちゃんと紙飛行機合戦を始めた。

改まった話を応接間でしようと考えていらした奥様はあきらめて、わたしに手ぬぐい

と真《ま》桑瓜《くわうり》を縁側に運ばせた。

「ねえ、板倉さん」

首に手ぬぐいをかけて真桑瓜にかぶりつく姿を見つめていた奥様が、とうとうその話を切り出した。

「わたし、あなたにお見合い写真をあずかっているのよ」

相手は奥様を一瞥《いちべつ》すると口に瓜を含んだまま何も言わずに立ち上がり、もう一度古新聞紙で作った紙飛行機を、お庭の向こう側まで飛ばした。

ジイジと油蟬の鳴く声が、蒸し暑い夏の庭に響いた。

ぼっちゃんが、飛行機を追って駆け出したのを見届けて、

「まだ、その気がありませんよ」

と、板倉さんは言った。

「だめよ。そろそろよ」

「まだですよ」

「おもらいなさいよ」

「そんなことを言われるとは思わなかったな」

「だって社長さんに頼まれちまったんですもの」

「社長に頼まれたから、もらえと言うんですね」

「そればっかりじゃないわ。そろそろもらうべきだと思うわ」

「奥さんに、そんなことを言われるとは思わなかったな」

「だってそろそろ、お考えになる年じゃありませんか」

「まだですよ」

「おもらいなさいよ」

「そんなことをなぜ、あなたが言うんですか」

「だって」

黄色の真桑瓜と庭の緑と、油蟬の鳴き声の中で、奥様と板倉さんの会話は、永遠に繰り返されるのじゃないかと思えた。

「どちらか一方、お気に召したほうの方と、お会いになって頂戴。写真、お帰りのときにお渡しするから」

奥様は目を伏せがちにそうおっしゃり、板倉さんは不満そうに古新聞をいじった。

縁側のお二人はなんだか弱々しく、こころもとなく、見えた。

その後、旦那様が出先から帰られて、いつものように板倉さんもいっしょに夕飯の卓を囲まれた。

お見合いに関して旦那様は、

「この人に任せてあるから、いいようにしてもらってください」

と、おっしゃったきり、結局その日の話題も、日米戦是か非かになった。

日米交渉がうまくいかないことは日本中が知っていた。

加えて、旦那様の会社は輸出や輸入とたいへん関連があったから、交渉の行方には神経を尖らせていらしたのだろう。

「アメリカじゃあ、一般市民は少しも戦争を希望していない。大西洋横断飛行の英雄リンドバーグが、議会で戦争反対を訴えたのもその証拠だ。まあ、社長も言うように、戦争回避へ行くだろうね。よしんばアメリカが参戦したとしても、まずは英国支援が先決で、あの強いドイツとヨーロッパ戦線を戦わなくちゃならない。太平洋にまで手が回らんだろう。日本は敵に回したら怖い国だと連中もわかっているから、やはり、和平の方向へ行くだろうな。それはどう考えても……」

といった調子で、お一人でわんわんまくしたて、戦局に興味のない板倉さんと奥様は、気のない相槌を打たれるばかりで、最後に板倉さんは見合い写真をいやいや押し付けられる形で帰っていった。

そしてそのまま、返事もなく時が経過して、

「ともかく進めるほうを一方だけ決めさせなさい。もう一方の写真は引き上げてよそへ回すと、社長が言ってきたから。やれやれ、もう少し世間知のある男かと思ったが、まるで子供だな。そうと決まったら、こっちも写真を用意しなくちゃならないんだから、若い娘じゃあるまいし、ぐずぐずしてもらっちゃ、困るんだ。きみ、行って少し、意見してきなさい」

旦那様が奥様に命じられたのが、九月に入ってからだったと思う。

8

「それじゃ、わたし、行ってくるわ」

奥様は藍媚茶《あいこびちゃ》の縞単衣《ひとえ》に名古屋帯を締めて、麻の日傘を差して出かけられた。風呂敷包みには、庭で採れたトマトが四つほど入っており、見合いをしろと説得に行く予定の時子奥様は、浮いたような浮かないような、妙な表情だった。

坂道を駅へ下っていく途中で、何に蹴躓《けつまず》いたか、一瞬よろよろと姿勢を崩されたので、玄関先を掃いていたわたしも、思わず駆け寄ろうかと思ったが、とりあえず体勢を立て直して下りていかれたのを見送った。

数日前に、写真のことで話があるから伺いたいと葉書を出し、了解しましたお待ちしますという返事が来て、板倉さんのところへ行くならいっしょに行きたいとおっしゃるぼっちゃんを、大人の話だからついてきてはだめとなだめ、奥様はお出かけになったのだった。

板倉さんの住むアパートは、私鉄で二駅都心よりで、そこから歩いて十五分だった。

奥様は葉書の住所を頼りに訪ねることになっていた。

油蟬に替わってつくつくぼうしが鳴き、湿気が温められて陽炎が立つ中、頼りなく坂を下る奥様の柿渋《かきしぶ》色の帯が、いまでも目に焼きついている。

旦那様はどこかへお出かけで、午後になってぼっちゃんのお友達のタッちゃんがやってきた。

お二人は二階のお部屋で、いっしょにご本を読んだり、庭に出て柿の木によじ登ったりして遊んでいた。

仲良しだったセイちゃんの姿が見えなかったので、

「セイちゃんは、どうしたんですか？」

と尋ねると、ぼっちゃんは不愉快そうにして、

「セイちゃんとはもう遊ばないんだよ」

と口を尖らせた。

「あら、喧嘩しちゃったんですか？」

「そんなことはしないよ。もう、遊ばないだけだよ」

「喧嘩じゃないのに、遊ばないんですか」

「セイちゃんのお父さんは、敵のスパイだったんだよ。この間、警察が来て捕まえていったんだ。だからもう、セイちゃんとは、遊ばないんだよ」

とてもきつい目をして、ぼっちゃんはそう言うと、この話は止めだと頭を振って、タッちゃんの登っている木に足をかけた。

タッちゃんが帰るころ、入れ違いに奥様が戻られた。

手には、お写真を二つ持っていらした。

「だめなのよ。板倉さん、会ってみる気がないんですって」

暑い中を、坂を上っていらしたせいか、上気した頰を染めて、そうおっしゃった。

「タキちゃん、悪いけれど、冷たいお水を一杯汲んできて頂戴」

茶の間に横座りになって、団扇《うちわ》で襟足を扇ぐ。

水を入れたコップをお持ちすると、団扇を胸に抱えるようにして、陶然と虚空を見つめていらした。

「どうかなさいました」

「え？　いいえ。あまり暑いものだから、ぼうっとしてしまったの」

そうして、コップの水を一気に飲み干し、それからふぅっと大きなため息をつかれた。

「ああ、ほんとにいつまでも暑くて、頭がどうかしてしまいそうだわ」

外出から戻られた奥様が、お着替えもなさらずに横座りしたまま、いつまでもふうふうと息をついていらっしゃることなど、あまりない。少しぐったりして、奥様はこめかみに手を当てた。

こうして奥様の説得は失敗に終わった。

いったい、説得自体をしたのかどうか、定かではないのだけれど。

しかし、これで板倉さんの見合い話にけりがついたかというとそうではなく、お帰りになって報告を聞いた旦那様はとても不機嫌になり、いまさら二枚ともつっかえすとは非常識だ、選べないならこっちで決めてやると、二枚のうち「翼賛会生活部の、わりに

顔の利く人の娘」だという、色白でふっくらしたお嬢さんを残して、

「見合いの世話くらいできなくて、重役の妻が務まるかね。きみももう少し、上手に勧めてくれてもよかろうに」

とまで、おっしゃった。

「だけれども、板倉さんは、まったくその気がないとおっしゃるんですもの。親でもないのに無理強いはできないわ。会社には他にも、以前うちにお見えになった、橘《たちばな》さんとか、赤木《あかぎ》さんとか、若い方、いらっしゃるじゃないの」

「二人ともとっくに兵隊に取られてるよ。若くて取られてないのは、板倉君ばかりなんだ。いまごろ何を言ってるんだ。もう、いい。これは明日、直接渡す。今度の見合いは、業務命令だ」

「待って」

何を思ったか奥様は、旦那様の手からひったくるようにして色白お嬢さんの写真を取り返し、

「待って。お見合いって、そんなふうに頭ごなしにやるもんじゃないわ。わたし、もういっぺんお話ししてみるわ。ねえ、あなた、そうしましょう」

と、早口で続けた。

お前がそういう気なら、最初から任せてあるんだからと、旦那様はぶつぶつ口の中でつぶやき、翌朝、もう一方の写真だけ持って会社へ行かれた。

奥様は茶の間で、とても難しいお顔をして葉書を一枚、お書きになった。
「タキちゃん、ちょいとこれをついでに出してきてちょうだい」
午後になって、配給所に出かけようとすると、奥様に後ろから声をかけられた。
そこには、
（板倉さんの、本当のお気持ちをお伺いしたく、○日に、又お訪ね致しマス）
とあった。
数日して先方からは、
（こちらも、本当の所をお伝えしたいと思っておりますから、是非いらして下さい）
と返事が来た。

9

翌週、奥様はまたおんなじようにして、
「それじゃ、わたし、行って参ります」
と、日傘を差してお出かけになった。
わたしもいつものように玄関先を掃きながら、坂を下りていく奥様を見送った。
あの日のことは、忘れようがない。
奥様は、地味な絣《かすり》に博多織一本独鈷《いっぽんどっこ》の帯を締めてお出になった。奥様にしてはずいぶん男勝りな、どこか決意の感じられるお着物だった。

夕方近くになって戻られたときに、持って出られた写真はなかった。

「少し考えたいとおっしゃるので、ともかくお預けしてきました。頃合を見て、様子を伺ってみますけれども」

奥様は口ごもった。

「どれだけ考えればいいんだ、あの男は」

旦那様の呆れ顔も目に浮かんでくる。

「わたし、着替えてきますわ」

そう言って、時子奥様は、ご夫婦の寝室になっている南向きの部屋へ戻られた。

今朝見た帯が、目に入った。

いまでも、はっきり、覚えている。

後姿の、帯の模様がいつもと逆になっていた。

左に余分を残して、右寄りに柄が来るように締める奥様の帯の、独鈷の筋が左寄りになっていたのだ。

そんなことはないと、人は言うだろうか。いつも着慣れている帯を結ぶのに、左右や天地が逆になるようなことはないと、思うだろうか。それを人は、若かったわたしの、妄想だと言うだろうか。

たとえばひどく気が急《せ》く中で、あるいは気が動転しているときに、帯を締めなければならなかったとしたら。

湿気でべたつくから、もう一度拭いてちょうだいと奥様がおっしゃるので、わたしは朝拭いた南の縁側に、固く絞った雑巾をかけた。

閉まった障子の奥で、奥様が帯を解かれる衣擦れの音が聞こえた。

あの独鈷の帯が解かれるのが、その日、初めてではないのかもしれないと思うと、心臓は妙な打ち方をした。

そしてうっかり、水入りのバケツを足で蹴ってひっくり返した。

「あらまあ、タキちゃんらしくない失敗ね」

障子が開き、白いブラウス姿の奥様が、空色のタイトスカートのホックを留めて、お笑いになった。

10

それから二度、奥様は板倉さんのアパートに出かけた。

二度とも洋装で、一度は話を進めてもよさそうなことを言い、写真館で板倉さんの見合い写真を撮らせるといった話をされていた。

二度目はもう秋になっていて、お庭の金木犀が香水のような匂いをさせる季節だった。旦那様も、ぼっちゃんもその日は出かけられ、わたしはお留守番をしていた。

あれから、奥様のことが気になって気になってしかたがなかったが、直接お聞きするわけにもいかずに、ただ悶々と日々を送っていたのだった。

ひとりでいると、

「コンニチワァ」

という明るい声が、縁側のほうから聞こえた。

近くまで来たからと、奥様の女学校友達の睦子さんが寄られたのだ。

「生憎《あいにく》、お留守にされていまして。でも、まもなく戻られるでしょうから、上がってお待ちになってください」

「あらそう？　お庭があんまりいい香りだから、ついふらふら寄ってしまったの。ほんとに時子さん、すぐお帰りになる？」

「ええ、まもなくだと思います」

「それならね」

職業婦人の睦子さんは、ひどく味気ないカーキ色のスーツを着て髪をひっつめにし、バスの車掌のような黒い革の鞄を、たすきがけしていた。

気の利いたお茶菓子がなくて、と言い訳しながら、少し焼いて焦げ目をつけた梅干と昆布の佃煮をお出しすると、

「わたし、タキちゃんの梅干が、何より好物なの！」

と、目を細められた。

わたしがそのことを、他人に話したのは、後にも先にもこれきりのことだ。
(このごろ、奥様は、少し妙なんですわ)
お茶を勧めながら、そう切り出した。
あら、どうして、と睦子さんは湯呑みを抱くようにして、訊いた。
(今日も、板倉さんのところへいらしているんですけれど)
(板倉さんて、平井さんの会社の若い人?)
(ええ。お見合いの周旋に、何度かいらしているんですけれど)
(時子さんが、お見合いのお世話、似合わないわね)
(ええ。でも、奥様が少し、妙なんですわ)
(妙って、どこが)
(こんなこと、旦那様のお耳には入れられませんわ)
(あら、旦那様にも話せないことを、わたしが聞いてしまっていいのかしら)
(でも、わたし、どうしたらいいか、わからないんです)
(いったい、どうしちゃったの、タキちゃん)
(奥様は今日も、板倉さんのところへいらしているんですけれど)
(板倉さんて、その若い人がどうかしたの?)
(ええ。たぶん)
(どうしたっていうの)

（わたし、こんなこと）

（いったい、どんなことだっていうの）

（板倉さんは、奥様のことが、お好きなんですわ）

それだけ言うと、どうしたことだろう。急に頭のほうに血が上ってきて、ふわっと立ちくらみのようなものを覚えて、気がついたらわたしは応接間のテーブルに突っ伏して泣いていて、睦子さんのごつごつした手に、背中を撫でられているのだった。

「要するに、こういうことだわ」

睦子さんは、おっしゃった。

「好きになっちゃ、いけない人を好きになってるのよ」

「ええ。そうなんですわ」

と、わたしは答えた。

もちろん、奥様と板倉さんのことを考えていたのだ。

ところが睦子さんは、とても奇妙な話をした。何かひどく、ずれているようなずれていないような、変な感覚がいまでも残って忘れられない。

いったい何故、あの午後に睦子さんがあんなことを話したのか、わたしは今でもわからない。

「女学生のころ、とてもきれいだったのよ、時子さん。そりゃ、あんなきれいなお嬢さん、いなかったわ。みんな好きになっちゃうのよ。そういう時代だったんだもの。中でも一人、毎日手紙を書いて、登下校のときもつきまとって、ひどく本気になったのがいたの。学業も手につかず、翌年転校して、ようやっと卒業して女子大学へ行ったのはいいけれど、時子さんの最初の結婚が決まったときも、酔っ払って自暴自棄になって、騒ぎを起こしたわ。罪ねえ、きれいな女って」

それから何かを朗読するように、睦子さんは続けた。

――男女相愛の道程を辿るのは人類の第一の本道であるにちがいない、けれどもなお第二の路はあるはずだ。そしてまた同時に第三の路も許されていいはずだ、相愛の人を得ずして寂しいながらも何か力いっぱいの仕事をして生きてゆく人たちのためにこの路はやはり開かれてあるわけだ。第一の路をゆく人も第二の路をゆく人も第三の路をゆく人も、各々その路を一心に辿ってそれによって己を生かし切り善く美しく成長させて宇宙へ何か献げものをしたい気持で歩めばいいのだ、この三つの形をとって人間は生涯を送るより方法はないのだと思う――

「なんです、それ」

「吉屋信子先生の小説の一節よ。わたし、これを聖書のようにだいじにして生きてきたの。このことは内緒よ。ぜったいに内緒よ。わたしたち、二人とも第三の路をゆくことになるのかもしれないわねえ」

そうおっしゃって、睦子さんはわたしの手を握られた。

わたしはますます、わけがわからなくなった。

睦子さんのひんやりしたあぶらっけのない手を握っていると、お玄関で、ただいま帰りましたと、奥様の声が聞こえたので、わたしたちはあわてて手を離した。

お迎えに上がると、

「あら、睦子さん、いらしてたの」

と、一応はおっしゃったものの、奥様は前のめりに応接間に入ってきて、椅子の上にくずおれた。大急ぎでお茶をお持ちした。

「だめよ。もうだめ。こんなことしていたって、埒が明かないもの。いけないわ。絶対にいけないわ。もう、これきりにしましょうと、わたし言ってきたの。もう二度と参りませんと、わたし、そう言ってきたのよ」

奥様はそう口走った。

「なんの話？　どうしたの、時子さん。これきりって、何がこれきりなの？」

「え？　何って。何って。もう、こんなことだめよ。無理なのよ。いけないに決まってるじゃないの」

うめくようにそうおっしゃって、お湯呑みを取り上げた奥様は、

「熱い！」

と叫んでお湯呑みを茶托に戻し、急に我に返り、

「何って、見合い話に決まってるじゃないの。ぜったいに見合いはしないと板倉さんが言うから、そんなに意地を張るなら結構です、もう参りませんと、言ってきたのよ」

「なあんだ、それだけ？」

「なんだって、どういうこと？」

それでもやはり奥様は、ぐったりとお座りになり、先ほどの演説でやはり草臥《くたび》れたらしい睦子さんも、そして混乱したわたしもいっしょに、しばらく無言で時を過ごした。

ややあって、旦那様が駅で会ったぼっちゃんを伴ってお帰りになった。

夕刻の薄暗い中で女三人がうつむいているのを認めた旦那様は、

「どうしたんだね、灯りは。灯火管制ですか」

と、おっしゃった。

戦後になってわたしは、吉屋信子の『黒薔薇《くろしょうび》』という本の中から、睦子さんの暗誦した文章を見つけ出した。睦子さんはほぼ書かれた通りに暗記していらしたが、「けれどもなお第二の路はあるはずだ」の後の「それは同性相愛の道程を辿りゆく少数の許されねばならぬ路ではあるまいか」という文章だけ、飛ばしていらした。

時局に遠慮して割愛したのか、いまやもう尋ねてみることもできない。

11

板倉さんの見合い話にけりがついたのは、十一月になってからだった。

その間、お二人は一度もお会いにならなかったし、一通の手紙のやりとりもなかった。

旦那様はいつも難しい顔をしていて、問いただすこともなさらなかったし、奥様の口から板倉さんの名前が出ることもなかった。

ただ、そのひと月ほどの間に、奥様は目に見えてお痩せになった。もともと白いのが青白くなり、ぼっちゃんのお話に出てきた「青マント」に、ご不浄で血を吸われているんじゃないかと怪しまれるほどだった。

ところが旦那様ときたら、まるでお気づきにならないのだった。頭の中が会社のことでいっぱいだったからだろう。

旦那様ばかりではなく、なんとなく重苦しい空気が世の中全体に漂っていて、誰も彼もがうんざりした気持ちだった。

久々に田舎から手紙が来た。母の汚い字で、おおむねこんなことが書いてあった。

「縁談のことは先方の戦死でだめになってしまって、お前も気の毒だったけれども、嫁がせようと思ったには理由がある。二十歳を過ぎて嫁に行っていない娘は、田舎でもどんどん徴用が来て、兵器工場や農業支援に駆り出されているから、お前もそろそろ来ると思ったほうがよい。行き遅れたのが理由で徴用されてはかわいそうだから、せめて早く嫁入りをと親心で考えたが、その後まったく話も来ない。ゆくゆくは、工場や農場で働くことになろうけれども、報国であるから、覚悟だけはしておけ」

どうせ徴用になるなら、田舎ではなくて東京でなればいい。昼間は工場で働いて、朝と夜は平井家でご奉公できないものかと、単純なわたしは考えたりした。

けれども、たしかに隣組に出てきていた女中仲間や書生さんが、一人、また一人といなくなるのは心細くもあった。

庭の柿の実が重たげに枝をしならせる頃、土曜日の夕刻に、板倉さんは来訪した。

突然だったが、ご家族は全員ご在宅だった。ひんやりしたお玄関で、板倉さんは例の写真を差し出された。

「そんなところにいないで、まあ、中に入りなさいよ」

旦那様はおっしゃったが、板倉さんは固辞して玄関に立っていた。

「たいへんいいお話で、ぼくもずいぶん迷って、お返事が遅くなりましたので、きちんとお話ししなければと思って出向きました」

「どうした。やっぱり、だめか」

怖い顔の板倉さんを見て、事情を察した旦那様がちゃかした。

「長いことお預かりしておきながら、すみません。ただ、今朝の新聞にも出ていましたように、このたびの聖戦では、丙種合格者も召集されることになったようですので」

「え？」

後ろのほうで、奥様がびっくりした声を出された。

「お話が、会社員で、若くて、戦争へ行かない者、という条件でしたから、これでぼくも該当者でなくなりました」

「ああ、それねえ。しかし、きみ、その条件は先方も外すんじゃないかね。いまどき、そんなことを言ったら、誰も見つからないよ」

「先方がお外しになっても、ぼくのほうがいけません。誰かを待たせたり、泣かせたり、したくないんです。そりゃ立派なお覚悟です。写真はこちらへお戻しください」

「そうか。そりゃ立派なお覚悟です。わかりました。写真はこちらへお戻しください」

あんがいあっさり、旦那様はおっしゃった。そして、

「それより板倉君、せっかく来たんだ。建前はいいとして、ちょいと飲もう」

いきなりくだけた調子になった。

板倉さんを誘って飲まれるなど、あまりないことだった。旦那様はよっぽど、誰かとお酒が飲みたかったのだろう。飲まれると、だんだん湿っぽくなってきて、これまでのご苦労を諄々《じゅんじゅん》と語られるのだった。

「ありとあらゆる手は尽くした。工場長と社長は必死だったよ。竹ゼンマイやセルロイドゼンマイを開発し、紙でブリキの質感を出そうとし、木工所で拾ってくるおがくずすら固めて何かできないかと考えたんだ。その一方で私は、少ない金属資材をどうやって取ってくるかで日夜奮闘したわけだ。そりゃ、いろんなことを経験しましたよ。まあ、女房子供の前では言えないこともあります」

旦那様は、断る板倉さんに無理やりお酒を注いだ。

「しかしねえ、もう万策尽きた。昨年以来、経済封鎖で屑鉄も来ない。来たって玩具に回るわけはない。輸出だって、ヨーロッパもアメリカも、日本製品はボイコットで販路

がない。支那にはまだ、購買力がない。どうしようもないんだ」

奥様の視線は、その間ずっと、板倉さんに注がれていたように思う。

「きみの縁談がうまく進めば少しは利点があるかと思っていたが、淡い期待ももう過ぎていった。だからもういいんだ」

「すみません」

と、答える板倉さんも、ちらちらと奥様のほうをごらんになっていた。

「ああ、むしゃくしゃする。なんだか水っぽい酒だが、きみも飲みたまえ」

酔っ払った旦那様が妙にしゃんとしたことをおっしゃるので、わたしはあせった。配給が限られているので、ちょっと水で割って出していたのであった。

ひと月ぶりにお会いになった奥様と板倉さんは、それぞれとても弱々しげに見えた。互いに互いのほうばかり見ているくせに、目が合うと瞬時にそらしてしまう。

青白い奥様と対照的に、お酒につきあわされた板倉さんは首まで赤くなっていて、わたしはまた「赤マント　青マント」のお話を思い出した。

まだ宵の口だろうと引き止める旦那様を制して、板倉さんは帰っていった。

坂を下りていく細い後姿が、いつかの奥様と重なって見えた。

12

こうしてわたしたちは、開戦の日を迎える。

真珠湾の日。十二月八日だ。

ぱっとしない一日だった。
二、三日前からラジオが壊れていて、終日流れていたという放送を、わたしも奥様も聞いていなかった。
やっと知ったのは、夕方になってからだ。

四年生になってから、ひとりで学校へ通われていたぼっちゃんが、駅から家までの坂道を全速力で駆けてきて、叫んだ。

「やったよ！　戦争が始まったよ！　日本がハワイの軍港へ、決死の大空襲だよ！」

奥様は、おっとり出ていらした。

「あらまあ、それ、ほんとなの？　恭ちゃん」

「そうさ。午後、校長先生が全校生徒を集めておっしゃったんだもの。ラジオ、聞かなかったの？」

「聞いてないわ。ハワイってどこ？　蘭印？　仏印？」

「なにを言ってるの、お母ちゃま！　ハワイと言ったら、西太平洋じゃないか！」

「お母ちゃまは、地理があんまり得意ではないのよ」

「オランダでもフランスでもないよ。アメリカと戦争を始めたんだよ！」

「あらまあ、そうですか」

「そうですか、じゃないよ！　だから女はだめなんだ」

ぼっちゃんは怒って二階に駆け上がり、奥様はふうとため息をつかれた。

「一昨日もお父様は、東條内閣はアメリカと戦わない方針だとおっしゃってたけれど」

奥様がつぶやくと、地獄耳のぼっちゃんは二階から、

「あんまりアメリカが悪いから、堪えに堪えていた日本がもう、堪忍できなくなったんだ。そんなこともわからないなんて、ああ、だから女は嫌なんだ」

と、聞こえよがしに怒鳴った。

奥様も今度はほんとうにひそひそ声で、

「支那との戦争だって四年も続いているのに、また新しい戦争だなんて、ちょっとうんざりするわねえ」

とおっしゃった。

女がだめだからかどうなのか知らないが、たしかにこの日は平井家の男二人が異様に盛り上がり、夜中まで、「敵はァ、幾万、ありとてもォ！」と合唱して大騒ぎした。

旦那様もなぜだかすっかり、開戦派に変貌していたのである。

「アメリカもこれで、もう日本をバカにできないと思い知ったに違いない。日本、よく

やった！　万歳！」

旦那様は大きな声でそうおっしゃった。

「社長なども言うのだがね。米英は東洋人を一段下の人間と思っているんだ。それで呑めない条件を次々突きつけてくる。社長がアメリカに行ったとき、いきなり初対面の人間にシュウ、シュウ、と、まるで犬のようにあだ名で呼ばれて困惑したと言うんだよ」

「あらでも、以前、社長さんはそのお話を、アメリカ人がとても友好的だという例に、引いていらっしゃいましてよ」

「そこが、社長のいいところさ。なんでも好意的に解釈しようとする。日本人の美点でもある。ところが思い出してみると、白人がミスター何々と呼ばれているような場所でも、社長だけシュウだったと言うんだ」

直接聞いたわけではないから、社長さんがどんな思いでこの話をしたのかは、わからない。けれど旦那様の中では、「シュウの話」は、まるきり、逆の逸話に変わっていた。

この日の夜の盛り上がりには、正直、わたしもついていけなかった。

けれど翌日の朝刊の見出しを見たときに、何かがすっとわたしの中に入ってきて、いろいろなことがわかった気がした。

ああ、始まるのだ。新しい時代が始まるのだ、と思った。

それまで毎日、新聞は、日米交渉がいかにうまくいかないかを、ちまちました小さな活字で取り上げていたのだ。東條さんの渋い顔や、ハル国務長官の憎々しい顔が、黒っぽい写真で入っていて、来る日も来る日も進展しない和平交渉を伝えていた。しかもその間に、いかにアメリカやイギリスが日本をバカにしているか、腰抜けだと思って見下しているか、無理難題を押しつけても言うことを聞くと思っているかを報道していたものだから、新聞を見るのは、うんと嫌だった。

ところが十二月九日の朝刊には、大きな大きな活字でもって、『米太平洋艦隊は全滅せり』『我無敵海軍の大戦果』と、胸のすくような文字が躍動していたのだった。

わたしは表へ出て、深呼吸をした。

第六章　秘策もなく

1

「スキーへ行くぞ！」

お家へお戻りになるなり、旦那様が大きな声でおっしゃった。

昭和十六年の、十二月の末である。

アメリカと戦争が始まって、なにがよかったたって、世の中がぱっと明るくなったことだ。

ちょっとばかり、食べ物は貧相になっていたけれども、足りないほどではなかったし、南方のゴム会社の株やなにかが、どんどん上がっていって、それで大儲けした人なども出て、街が少し賑やかになり、人々も穏やかになった。

スキーは、社長さんが誘ってくださった。日本アルプスの方だったかどこか、雪の深い土地へ二泊ほどのんびりでかける話だった。時子奥様は学生時代、スキーの名手だったそうである。ただ、ぼっちゃんの脚がお悪かったので、結婚してからは断念しておられた。四年生になり、もうすぐ五年生になろうというぼっちゃんは、もう脚を引きずることもなく、元気な男の子に成長していた。

「そろそろ、恭ちゃんにも教えてやらなくちゃなあ」

旦那様は、男同士、通じるところがあるとでもいうように、拳でぼっちゃんの二の腕あたりをとん、と突いた。

「へえ、ぼく、やってみたいなあ。きっと上手に滑れると思うよ」

ぼっちゃんも、両拳を握って、へっぴり腰の姿勢をとり、滑っているつもりなのか、お尻を左右に不器用にゆさぶった。

奥様だけが、少し困った顔をなさった。

「あら、スキー？　いつですの？」

「いつって、正月休みに決まってるだろう。二日あたりから二泊だね」

「ええ、でも」

「どうした？」

「どなたか、いらっしゃらないかしら。お客さんとか」

「来たっていいじゃないか。たまには留守にさせてもらおう。きみ、ずっと温泉に行きたがってたじゃないか。雪国には、いい温泉があるんだぜ」

「でも、あなた、空襲でもあったらと思うと……」

開戦以来、灯火管制がいままで以上に厳しくなっていたからか、奥様はそんなふうに口ごもられた。

「はっはっは」

旦那様は、気持ちよさそうに笑い、ぼっちゃんも真似をして、

「はっはっは」

と言った。

「ハワイに次いでグアム、グアムに次いで香港。皇軍は敵という敵を蹴散らしているんだぜ。この強い日本に手出しできる国なんかあるものか。アメリカなんぞ、太平洋上でウンウン唸っているのがオチさ。本土来襲なぞ、ありえん、ありえん」

「ありえん、ありえん」

ぼっちゃんは、お父様そっくりに、鼻先で手を振った。

奥様だけが、妙な顔つきをされた。

男たちにはわかっていなかったが、わたしにはわかる。

正月三日には毎年、板倉さんがみえていたのだ。奥様は少し、遠い目をなさった。

昭和十七年の正月、ご一家はスキーにいらっしゃった。わたしは東京で留守番をしていたが、板倉さんはあらわれなかった。

一月八日に、ぼっちゃんは、初めての「大詔奉戴日」を迎えられた。大東亜戦争が始まったので、それまで毎月一日だった「興亜奉公日」が、十二月八日を記念した毎月八日に改められ、名前も変わったのだ。

「大詔奉戴日は、興亜奉公日なんかより、ずっといいね。厳《おごそ》かな気持ちになるよ」

学校から戻られたぼっちゃんは、興奮して、そうおっしゃった。

正月以来、なんとなく浮かぬ顔の奥様が少し陽気さを取り戻されたのは、呉服屋が着物を担いで玄関にあらわれた、女正月のころだったろうか。

衣料が切符制になるので、あと数日もすれば売ることができなくなるからと、お得意様回りをしているという。

銘仙や、夏のポーラ地など、実用的な反物が主だったが、お玄関先で呉服屋がさっと広げてはくるくるとんとんと巻き戻す手際が懐かしく、あれとこれをと、てきぱき指示される奥様も愉しげだった。

「これはめったに手に入りませんが、何かのときに用意しておかれるとよろしいかと思います。奥様だけにお持ちしております」

心をくすぐるようにそんなことを言って、呉服屋が縮緬《ちりめん》の白生地を広げた。奥様の目が急に光を持った。

「いただくわ」

言下に、奥様はそうおっしゃった。

そして、呉服屋が帰っていくと、

「さあ、タキちゃん、出かけるわよ」

と、威勢よくわたしに言った。

「なに、びっくりしているの。呉服屋が来たってことは、大急ぎよ。配給切符が出る前に、旦那様や恭一の靴下やら下着やら、買い溜めしとかなくては」

奥様はお着物を着替え、髪に油をおつけになった。

2

二月の、シンガポール陥落のときなど、さすがに奥様だって、はしゃいだ。四年生の、恭一ぼっちゃんも、かわいらしかった。

「もらった！　もらったよ！　見て。タキちゃん。これ、見て」

学校から帰ったぼっちゃんが、走ってきて見せてくれたのは、青いゴムまりだった。マレー海戦勝利を記念して、全国の小学生に配られたのだ。

「あら、素敵。お母ちゃまにもつかせて」

玄関ポーチの石畳で、時子奥様はぽんぽんと何回もまりをついた。

「山下中将のおかげなんだよ。日本の軍隊が強くて偉いから、これから我が国は、うんと豊かになるんだってさ。お砂糖も、たんまり入ってくるんだって」

「パーシヴァルをやっつけた甲斐がありましたね」

「イエスかノーか？」

「イエス。無条件降伏であります」

山下奉文《ともゆき》がイギリスの敵将パーシヴァルにつきつけた「イエスかノーか」は、国中で大流行で、ぼっちゃんが山下中将をやるときは、わたしはパーシヴァルになって、無条件降伏をしなければならない。

ゴムまりをもらった夜、それを抱きながら寝床に入った恭一ぼっちゃんは、夢を見た。南洋の島で、ぼっちゃんは一人、大日本帝国海軍の制服を着て、やしの木の陰の肘掛け椅子に座っている。周りでは、耳や鼻に飾りをつけた南洋の人々が、大きな葉っぱで風を送ってくれるので、涼しいことこの上ない。南洋の女の子が花輪をたくさん持ってやってきて、首にかけたり、頭に載せたりしてくれる。次に、こんどは男の子たちが、お盆にバナナや角砂糖、ココナツの実のジュースなどをたんまり載せて持ってきて、どうぞ、どうぞと勧めるのだそうだ。

朝、起きてきたぼっちゃんは、得意満面で話されたものだ。

「そしてね。ジャンジャンジャラジャンと音楽が始まって、楽しそうに踊り始めたんだ。みんなが口々に、『ニッポンの兵隊は強いなあ。ありがとう。ありがとう』と言ってさ。夢の中では、ぼくはもう立派な大人で皇軍の兵士だから、『なに、お安いご用さ』と、こんなふうにヒゲをひっぱって笑うんだよ」

「あら、恭ちゃんは、おヒゲを生やしているの？」

「そうだよ」

「恭ちゃんの夢は、おおむね真実だ。スマトラでもジャワでもミンダナオでもセブでもパナイでもコレヒドオルでも、踊りを踊って、日本の兵隊を歓迎しているそうだよ。いやあ、この戦争は明るい。南方に活路を求めたのは、正解だったね」

大東亜戦争が始まったばかりのころは、旦那様だって、そんなふうにおっしゃっていた。

この時期の旦那様は、何か吹っ切れたようにさばさばしていらした。

この年の春に、金属玩具工業組合は、解散になった。

それまでは、金属資材をどうやって確保するかだとか、代わりの材料をどうするかだとかいったことで駆け回っていらして、難しい顔をされていることが多かったが、このころから、旦那様は、玩具を作ることを、きれいさっぱりあきらめて、社長さんの市議会進出話に夢中になっていった。

工場もすっかり飛行機の部品工場になってしまったので、社長さんはあいかわらず社長さんだったが、好きなものを作れるわけじゃなし、何か別のことをしようと思い立ったらしかった。

まずは、市議会選挙に先立って行われた、衆議院議員選挙のお手伝いから始まった。

坂の上のお家には、『翼賛政治体制協議会の使命』とか、『翼賛選挙と正しき一票』とか、『大東亜戦下の総選挙』といったパンフレットが、どさりと積まれるようになり、旦那様は、会社の代わりにしょっちゅう、日比谷の大東亜会館に行かれるようになった。

大東亜会館というのは、いまの東京會舘のことだ。じっさい、戦時中のほんの何年かの間だけ、大東亜会館と呼ばれたけれど、その前と後は変わらず、東京會館である。

戦争前は、夏の屋上納涼園が人気だった。わたしも一度、ご家族といっしょに出かけて、お相伴させてもらったことがあった。建物は立派な会議場だが、夏の納涼園は家族連れが楽しめる気軽な雰囲気だったのだ。そして、三階日本間の牛鍋も美味しいと評判だった。ぼっちゃんが中学へ入ったら、お祝いは東京會館の牛鍋だなんて、そんな話が出たこともあったけれど、中学へ行く前に牛鍋屋がなくなった。

東京會館は「大東亜会館」と名前を変えて、大政翼賛会の本部になった。お隣の帝劇は、奥様がおしゃれしてよく出かけられたものだったが、これも東京會館より前に徴用されて、「内閣情報局」という看板がかけられた。両方とも、皇紀二千六百年のお祝いの前か後か、そんなころのことだ。

そして、昭和十七年のあの頃、大政翼賛会がどこかへ移ったのを機に、翼賛政治体制協議会の事務所となったので、旦那様は、ちょくちょく出入りなさっていたのだった。

衆議院議員選挙の真っ只中にあった、あの東京初空襲のときですら、旦那様は、

「いままで日本の快進撃に指をくわえてばかりだったアメリカ人が、おずおずといえども昼間の東京に入ってくるなど、なかなかやるじゃないか。ほめてやりたいくらいのものさ。ま、たいした仕事もできずに逃げ帰ったらしいが」

と、大いばりであった。

3

あんまりだ、おばあちゃん。歓迎なんかされるわけないだろう！

と、甥の次男の健史が言った。

「南の島の人が踊りを踊って歓迎してるとかさ。能天気すぎる」

ニッポンの兵隊は強いなあとかさ。なんだよ、それは。

そう言われても、あのころはみんなそう思っていたのだから、しかたがない。

「昭和十七年っていったら、ミッドウェー海戦の年だろ。太平洋戦争のミッドウェーっていったら、山本五十六が強行してぼろ負けに負けた作戦だろ。そんなの、戦争映画とか見てれば誰でも知ってるよ。僕はけっこう、古い映画とかも見てるからね。山本五十六が三船敏郎のやつ。ミッドウェー。ヘンリー・フォンダが敵の大将で、なんていったかな。ミニッツだったかな。ミッドウェー海戦以来、日本軍はほとんど勝ってないんだろ」

健史は得意げに鼻を膨らませるが、当時、そういうことは知らされていなかった。

ミッドウェー海戦だって、敵の戦艦をぼこぼこ撃沈して日本が大勝利、と報道されていたし、南洋の子供たちが果物を持って日本の兵隊を訪ねてくる様子は、ニュースフィルムにしょっちゅう出てくる映像でもあったのだ。

それに、ステーキじゃあるまいし、敵の大将は、ミニッツじゃなくて、ニミッツだ。

その名前を思い出したとたん、わたしの頭の中に、

「いざ来い　ニミッツ　マッカーサー　出てくりゃ　地獄へ　逆落とし」

という、戦時中に盛んに歌われた歌が甦ってきた。

もっとずっと戦況が進んだ、昭和十九年に流行った歌だ。

歌ってやろうかと思ったが、なんだか馬鹿にされそうな気がして、黙っておいた。

こっちの言うことを能天気すぎるとか、なんにも知らないとか言う割には、健史も、とんちんかんな反応をする。

「東京初空襲って何？　東京大空襲のこと？」

だと。

初空襲は、昭和十七年の四月で、下町一帯が焼けた大空襲は昭和二十年の三月だ。そんなに初めっから「大空襲」をやられてはたまらない。

4

東京初空襲は、四月十八日の昼間だった。

ぼっちゃんは学校、わたしは庭仕事、奥様は家の中で繕い物か何かをなさっていた。ぽん、ぽんと、花火が弾けるような音がしたので空を見た。

真っ黒な、長い体をした飛行機が、東の空から西北へ向かって飛んでいく。その後ろ

に、黒い煙幕が浮かぶのが見えた。

「タキちゃん、いま、なんか、変な音した？」

縁側に奥様が出ていらした。

「まあ、あんなに低いところを」

奥様は絶句して、高射砲が撃ち上げた爆弾の残りの黒い煙を目で追った。

「恭ちゃんの学校、だいじょうぶかしら」

大急ぎでラジオをつけたけれど、様子がはっきりしなかった。

アメリカの飛行機がずいぶん低いところを飛んでいたので、ちょっと嫌な気持ちがした。

ご近所の方が見えて、いま空襲警報が出ましたよと言った。それすらなんだか遠くて、よくわからなかったのだ。

「ねえ、恭ちゃんの学校、だいじょうぶかしら」

奥様が続けておっしゃるので、わたしは、見てまいりますと外に出かけたが、駅まで行って電車が止まっているのを知って引き返し、すごすご坂を上った。

「電車が止まってて」

心配して出ていらした奥様に、坂の途中からそう叫ぶと、時子奥様はうんうんとうなずいて、人差し指で日本の戦闘機を指した。

「あれねえ、タキちゃん。ちょっと高すぎやしなくて？」

上空を見上げると、皇軍の飛行機の編隊が悠々と行くのが見える。

「はあ」

「さっきのアメリカの飛行機は、こんなとこを飛んでたのに、あっちは、あんなとこ飛んでる」

こんな、あんなと言っては、奥様は手の平を下げたり、上げたりされた。皇軍の編隊は、はるか上空を飛んでいたからだ。

その日の夕方、ぼっちゃんはまた人一倍興奮してお帰りになり、校庭から見上げた飛行機の話をうんとされた。

戸山と目黒のほうが焼けたというから、案外、ぼっちゃんの学校も遠くはないと思うと、わたしは正直怖くなった。日本の防空は確かだと、つとに聞かされていたのに、敵の飛行機が触れそうなくらい近くを飛ぶのでは、堅固な防空も怪しいものだ。

でも、旦那様は、そんな不安をお笑いになるかのように、

「アメリカ人もなかなかやると、ほめてやってもいいくらいだが、結局たいした手出しはできなかったじゃないか。心配するには及びません」

と、おっしゃったのだった。

そして、もっともっと日本国内の防衛体制を強化するためにも、このたびの選挙が大事なのであるというようなことを力説された。戦争下での挙国一致を徹底するためには、翼賛政治体制協議会の推薦する新人候補が勝ちまくって議席を埋め尽くさなければなら

ないとか、そんなような話だった。

いまだになんのことだかよくわからない。

旦那様は、お仕事でも何でも、夢中になりすぎるところがあって、それが長所でもあったが、お話はたいてい長くなり、聞いているものにはつまらなかった。

この空襲が、わたしが東京で体験したたった一回の空襲だ。

昭和十九年の秋まで、東京ではこれ以外に空襲がなかったのだ。

新聞は、この四月の空襲をやってのけた敵の九機を、日本軍がすべて撃墜したと言っていたし、被害もあまりなかったような話だった。それで、旦那様がおっしゃることが正しいのだと思うことにした。

でも、近所の人がこっそり、

「あんな低いとこ飛んでたんだから、撃墜したなら見えそうなもんだがな」

と言っていたのを聞いて、そうだなと思ったりした。

たしか、あの空襲で、日本の飛行機と間違えて敵機に手を振り、機銃掃射で殺されてしまったかわいそうな小学生もいた。

それを聞いた時子奥様は卒倒しかけ、ぼっちゃんに、

「どんなことがあっても、ぜったいに飛行機に手を振らない」

と、指切りをさせていらした。

5

四月のドゥーリットル空襲の後は、社長さんの市議会選挙で大騒ぎだったことだけ思い出される。

奥様と板倉さんの淡い恋愛事件は、人知れず終わったように見えていた。

あのころ、いつだったか定かではないけれども、防火責任者は、家長か主婦のみ、という通達が出た。隣組の会合も、女中などではなく、一家の主婦が出席するようにと指導があった。初めのころに出てきていた女中や書生さんたちは、みな郷里に帰ったり、お嫁に行ったり、戦争に行ったりしてしまって、出る人がいなくなったことにもよるのだろう。

その上、旦那様が東京市議会選挙に熱心になられたために、奥様まで「翼賛選挙貫徹婦人同盟」のお仕事を手伝うことになってしまった。

奥様はそういうことがお好きなタイプではなかったので、「翼賛選挙貫徹婦人同盟」と墨書きされた襷《たすき》を持ってはいらしたが、あまりつけていた様子が思い出せない。

なんとなく、時子奥様は浮かない顔で、

「父さん、しっかり翼賛一票」

とか、

「父さん、しっかり愛市の一票」

とかいったスローガンの躍るチラシを、ご近所や同窓会のお友達に配っていらした。

わたしは主に、庭の野菜の世話、お掃除とかお炊事、古くなったお着物を更生服に仕立てる、なんてことをやっていた。

更生服というと囚人服みたいな感じがすると健史に言われたけれども、そうではなくて単に、服のリフォームのことである。

たまに旦那様のおつかいで、大東亜会館に行くような日があると、久しぶりの都心の空気に心浮き立った。

このころになると、デパートも軍に徴用されていて、街はずいぶん様変わりしていた。

それでも、ビルの立ち並ぶ丸の内や日比谷界隈は、憧れの東京だったのである。

ある日、大東亜会館に行った帰り、道端で小中先生に出くわした。わたしが小学校を出て初めて奉公に上がった家の旦那様、偉い、小説家の先生である。

先生のお宅を出て十年以上も経っていた。たまに、雑誌の記事でお写真をお見かけすることがあっても、実際の先生にお目にかかるのは久しぶりだった。先生が覚えていてくださるとは夢にも思わずに、会釈して通り過ぎようとすると、

「タキちゃん？　あんた、タキちゃんじゃないかね？」

と、お声がかかった。

「はい。タキでございます」

「以前、うちにいた、タキちゃんだね？」

「はい。ご奉公しておりました、タキでございます」

「いやあ、驚いた。いくつになったね？　いい娘さんになったじゃないか。こりゃまいった。まだ、須賀のお嬢さんのところに奉公しているのかね？」

須賀、というのは、時子奥様のご実家の姓だった。

「はい、時子様が、玩具会社の平井様にお嫁に行かれまして、わたしもついてまいりました」

「ああ、そうだった。時子というんだ、あの美人さんは。そうかい、そうかい。そうだ、タキちゃん、少し、時間はあるかね？」

わたしはびっくりして何も言えない。

「せっかく会ったんだ。少し話がしたいじゃないか。うん？　僕は、時子なんぞ、おしめを当ててるころから知ってるんだから、怖かないぞ。日比谷で小中先生にお会いして、どうしてもお土産を持って帰れと言われて、断れなかったと言やあいい」

「でも」

「なんだい。ほんの少しだよ。三十分も、つきあってくれないのかい」

小中先生はわたしを連れて、冨士アイスに入っていった。

久しぶりの冨士アイス。お紅茶をいただく。わたしの胸はどきどきした。

先生はサンドイッチかなにかつままれて、しきりにまずい、まずいと失礼なことをおっしゃった。

小中先生の家の様子などを伺うと、昔は三人いた女中がいまは一人きりで、わたしの知らない、若くもない女だという。先生は深いため息を吐《つ》かれて、

「いろいろなことが違ってきたからね」

と、おっしゃった。

それから唐突に、あの話をしだした。わたしがまだ子供で、小中先生の家に入ったばかりのころに、書斎で伺った、あの話だ。

イギリスに、うっかり者の女中がいて、旦那様がお友達からお預かりしている、難しいご本の原稿を、ごみと間違えて暖炉にくべてしまった。だから書斎の掃除をしてはいけない。うっかり大事な原稿を焼いてはいけない——。

「お前に話したことがあったっけ」

「ございます」

「おや、お前、ぼけたと言いたいんだろう?」

小中先生は眼鏡の奥から、悪戯っ子のような目つきをしてみせた。

「違います。先生、何度も、そのお話をしてくださいました」

「ほう。何度もね。それじゃ、昔からぼけてたのかな」

先生はうれしそうに笑われた。ずいぶん額の毛が後ろのほうへ行っていたが、あいかわらずよく肥《こ》えて、楽しそうな小中先生である。

「じゃ、あれも覚えてるかな。その女中は、ほんとにうっかり燃やしたんだろうかって話」

「ええ。旦那様より先にお友達の学者が本を出してしまわないようにと、女中が気をきかして焼いたのかもしれないというお話でした」

「お前、よく覚えてるね。そうだ、タキちゃんは昔から、頭が良かった。うちへ入った女中のうちで、いちばん頭が良かった。手放すんじゃなかったな」

そうして旦那様は、どこか独り言にも似た口調で、こんなふうにおっしゃったのだ。

「ときどき、うちに頭のいい女中がいたらと、思うことがあるんだよ。僕が書いたものを、世間へ出さないでおこうと思えば暖炉にくべ、世間へ出してしまえば気持ちが楽になるがどうも出せないと迷っているようなものを、さっさと投函してくれるような女中がね」

「暖炉にくべておきなさい、ポストへ投函しておきなさいと、いちいち指示されて、するのではいけないんですか」

「それじゃあいけない。まったくいけない。違う、違う。そんな頭の悪い女中なら、いくらでもいるんだ」

「じゃあ、勝手にやってしまうほうが、頭がいいんですか」

「そう簡単でもないんだ。勝手にやられちゃ困るんだ。いいかね。いちばん頭の悪い女中は、くべてはいけないものを火にくべる女中。並みの女中は、くべておきなさいと言われたものを火にくべる女中。そして優れた女中は、主人が心の弱さから火にくべかねているものを、何も言われなくても自分の判断で火にくべて、そして叱られたら、わたくしが悪うございました、と言う女中なんだ」

「いちばん頭の悪い女中がうっかり火にくべたものと、ご主人様がお心迷いから火にくべかねていた代物とが、たまたまいっしょでしたら、いいんですのにね」

「おう、そうだ。まったくその通りだ。お前は、頭のいい女中だよ」

思わず小中先生は両手を伸ばして、お紅茶の脇に置いていたわたしの手をひしと握った。わたしはこんな人の多いところで、手を握り合っているところを誰かに見られてはと、たいへんどぎまぎした。

「なにがどうというんでもないが、僕だって、一生懸命やっている。僕だって、岸田だって、菊池だって、よくやっている。国を思う気持ちも人後に落ちないつもりだ。しかし、その我々をすら、非難する者があらわれる。文壇とは恐ろしいところだ。なんだか神がかり的なものが、知性の世界にまで入ってくる。だんだん、みんなが人を見てものを言うようになる。そしていちばん解りやすくて強い口調のものが、人を圧迫するようになる。抵抗はできまい。急進的なものは、はびこるだろう。このままいけば、誰かに非難されるより先に、強い口調でものを言ったほうが勝ちだとなってくる。そうはしたくない。しかし、しなければこっちの身が危ない。そんなこんなで身を削るあまり、体を壊すものもあらわれる。そうはなりたくない。家族もある。ここが問題だ。悩む。書く。火にくべてしまえと思う。あるいは、投函してしまえと思う。どちらもできない。いやはや」

独り言をごにょごにょつぶやいて、小中先生は、まことにまずそうに珈琲を飲んだ。

「マドリング・スルーというんだよ、英語でね」

わたしではなく、よそを見つめる目をして、先生はおっしゃった。先生は小説家で、子供のための英語の小説を翻訳されることなどもあった。書斎には洋書も多かった。

「マドリン？」

「マドリング・スルー。計画も秘策もなく、どうやらこうやらその場その場を切り抜ける。戦場にいるときの、連中の方法なんだ。このごろ口をついて出てきてね。マドリング・スルー。マドリング・スルー。秘策もなく。何も考えずに」

わたしが黙っていると、先生は小さなため息を吐いてから、柔和な笑顔を取り戻された。そして立ち上がって、時子奥様にお土産をお求めになり、

「元気で。体を大事にするんだよ。故郷へ帰るまえには、挨拶に来なさいよ」

わたしの頰をぽんぽんと叩いた。

6

その年、東京市議選が行われ、翼賛政治体制協議会から推薦を受けて立候補した社長

さんは、見事当選された。赤い達磨《だるま》の目に墨を入れて、

「汚職のない市政を実現して、明るい翼賛社会を！」

という社長さんの掛け声に合わせて、旦那様が万歳三唱の音頭を取った。

選挙の後、夏の終わりごろだったかに、南方占領のお祝いで、珈琲と紅茶の特配があった。ぼっちゃんは、二月のシンガポール占領のときに見た夢を思い出し、その話を作文に書いて、学校で花丸をもらって帰ってきた。

あのころ、旦那様は何をしていらしたのだろう。たぶん、社長さんの秘書のようなことではないかと思うが、いまひとつよくわからない。

甥の次男の健史は、おばあちゃんの思い出は能天気すぎる、戦争中がそんなに明るいわけがないと非難するのだが、わたしの記憶では、パールハーバーから市議会選挙の年までは平和だった。

もちろん少しずつ何かが変わっていって、野菜が配給になったり、お米が全部玄米になったり、お菓子が手に入りにくくなったりした。たしかあの年の秋の新嘗祭《にいなめさい》で、ぼっちゃんが学校からキャラメルをもらってきた。それがまた紙のように薄いキャラメルで、たよりなかったから覚えているのだが、それでも、あの年は、ぼっちゃんがゴムまりをもらったり、キャラメルをもらったりして、お国のすることにも少しばかり余裕があり、世の中全体がまだ、のんびりしてた。

これが翌年になると、変わった。

いちばんびっくりしたのは、翌年の夏になって、東京府と東京市がいっしょになって「東京都」となることが決まり、市議会議員だった社長さんが、いきなり職を失ってしまったことだ。あんなに大騒ぎして当選したのに、東京市は無くなるので議員はお払い箱ですとは、ひどい話だ。

旦那様もがっかりして、急に老け込まれた。することがなくなってしまって、庭の野菜園をご自分で耕されるようになった。

そして、変化はそれだけではなかった。

それよりも大変なことが、あの小さなおうちで起こっていた。

7

十八年になると、ガダルカナル島の転進があり、夏近くなって、山本五十六連合艦隊司令長官の戦死とアッツ島の玉砕が大々的に報じられた。

そのころには、この戦争は「決戦状態に入った」と、なんとなくみんなが知っていた。

「決戦状態に入った」

というのは、『主婦之華』の睦子さんがよく口にしていた言葉でもある。

「総力戦」とか、「決戦」とか、「勝ち抜く」とかいうのが、隣組の標語にもよく使われるようになってきたし、睦子さんの『主婦之華』に婦人防空服やもんぺの作り方が載るようになった。わたしは動きやすいもんぺが好きだったが、時子奥様は、あまりお好きではなかったようだ。

「大戦争の勝利の鍵は、科学でも兵器でもないのよね。日本人の魂ですよ。飛行機だって鉄砲だって、みな外国から来たものだわ。これを日本が、火の玉の心で生かして使ったところに、強さがあるのよねえ」

睦子さんが髪をひっつめて精神論をぶつようになったのも、あのころだった。

ぼっちゃんが六年生になってしばらくしたころ、隣組から指輪や宝石を供出するようにという回覧板が回ってきた。

時子奥様は、回覧板をじっと見たまま、しばらく応接間で動けずにいらした。奥様にとって装身具は、とても大事なものだったのだ。

「あなた、これ、ほんとに出さなくてはいけないかしら」

奥様は、幾度も旦那様に確認し、

「そりゃ、国がたいへんなときなのだから、出すしかないだろう」

というお返事を伺うたびに、困ったように口をへの字に作られた。

「ねえ、あなた、これ、ほんとに出さなくてはいけないかしら」

同じ質問が度重なるのにいらいらした旦那様が、

「戦争に勝って世の中が落ち着いたら、もっといいのを買いなおしますよ。ぐずぐず言わないで、出さないか！」

と、大きな声を出された。

「平井さんのお宅にブリキ玩具があることは、ここらの者はみな知っていますから、非協力的だと見做《みな》されないように、供出されたほうがよいとのことでした」

回覧板はお隣から来たが、なぜだかそんなことまで伝言があり、奥様は険《けわ》しい顔で空を見つめられた。

大好きな玩具を手放さなければならないと聞かされたぼっちゃんは、意外にあっさりしたもので、

「悲しいけれど、仕方がないよ。いまは皇国が大東亜建設という立派な目標に向かって一つになっているときだからね。兵隊さんのように前線に出ることはできなくとも、ぼくら少国民一人一人に何ができるかを常に考えなさいと、先生もおっしゃっていたよ。お母さんもそんなに仏頂面《ぶっちょうづら》をするのはやめて。指輪くらい、なんですか」

と、おっしゃった。

ぼっちゃんは、いつのまにか「お母ちゃま」をやめて「お母さん」になり、立派な意見までするようになっていた。

ひょっとしたら、このころいちばん変わられたのは、恭一ぼっちゃんかもしれない。幼いときの愛くるしさが影を潜め、ちょっとワルめいた、ませた印象を漂わせるようになってきた。女遊びの派手だった父親に、面立ちも少しずつ似てきたのだ。

低学年のころは脚が弱くて体も小さかったのに、背もぐんと伸びて、お友達より頭一

つぶん大きくなった。もともと一年遅らせて入っているから、同級生より一つ年が上なのだ。

道路清掃や廃品回収をする「大日本青少年団」に所属し、部隊長みたいなものになっていた。「ヒットラー・ユーゲント」をお手本にして作られた少国民の組織で、号令をかけたりする役目らしい。そういうところで鍛えられたぼっちゃんからすると、貴金属の供出を出し惜しむお母様は、帝国臣民としての意識が低く見えたのだろう。

学校の成績はまったくもって芳《かんば》しくなかったが、喧嘩が非常に強くなった。

そうして、あの事件が起こった。

ぼっちゃんが、目に見事な青痣《あおあざ》を作って、学校から帰ってきたのだ。

あっけにとられる時子奥様に向かって、小さく、ただいまを言うと、目を合わせずに、一通の手紙を差し出した。きちんと封がしてあって、恭一ぼっちゃんの担任の先生の署名があった。

何も言わずに二階に駆け上がってしまったぼっちゃんを見送られて、奥様はしばらく呆然とされていたが、気を取り直して鋏を探し、封を切って手紙を読み始めた。

みるみるうちに、奥様の顔色が変わった。

わたしは大急ぎでお勝手に戻り、奥様の動揺を知らんぷりしようとしたが、ややあって自ら台所に来られた奥様は、すっかり青い顔で、

「恭一が学校で喧嘩をしたらしいの。家庭でも気をつけるようにと先生からのお手紙に

あったけれど、このことは旦那様には黙っておこうと思うわ」

と、おっしゃった。

「旦那様にご心配をおかけしたくないのよ。あの痣を見れば、何も言わなくてもわかってしまうけれど、男の子なら、喧嘩の一つくらい、あることでしょう？　恭一はいま難しい年齢だし、生《な》さぬ仲の男親にあまり強く叱られたりすると、うまくないんじゃないかと思うの。わかるわね？」

「さようでございますね」

「だから、先生の手紙のことは、内緒よ」

もちろん、はいとわたしは答えた。

「わたし、少し休むわ。寝室にお水を持ってきてちょうだい」

よろよろと廊下を歩かれる奥様の様子は、見たことがないようなものだった。

8

あまりに動転していらしたからだろう、奥様はお手紙を卓袱台に置き忘れた。

わたしはそれを見つけて、困り果てた。

人は、市原悦子が出てくるテレビドラマなどを見て、家政婦や女中なんてものは、いつでも家人の手紙を勝手に読んでいると思うようだが、わたしたちはそんなことはしないのである。

ただ、ひどく無防備に置かれた手紙が目に入り、長年、女中をしていた者の勘が、これは焼いたほうがいいと、思わせたことを覚えている。

小中先生を思い出したのだ。

きっと、旦那様にもぼっちゃんにも、誰にも見せてはいけない類《たぐい》のものだと、わたしはそのときにはっきり感じた。だから、小中先生の基準で考えるならば、頭のいい女中が焼いてしまうべき手紙だと、思ったのだ。

しかし、お話の中のイギリス人女中のように、都合よく物事が運ぶわけではない。わたしが自分の判断で手紙を焼いたり、見つからないように片づけたりすれば、気づいた奥様は平静ではいられなくなるだろう。しかし、誰もが読めるようなところへ置いておくわけにもいかない。

いちばんいいのは、「お手紙がありました」と手渡しすることだろうけれど、それをすれば今度は、読んだと疑われるに違いない。

読みませんと答えたところで、疑惑は残る。

奥様とわたしの間に、不信感が生まれる。

わたしはほんとうに、困った。

そして意を決して、手紙を開いたのである。

手紙にはおおむね、こんなことが書いてあった。

担任教師が恭一ぼっちゃんに手紙を持たせた理由は、父兄に知らせておくべき義務を感じたためである。

顔の青痣をつくった喧嘩の相手は、佐橋達吉《さはしたつきち》、ぼっちゃんとは入学以来の仲良しの、タッちゃんだった。

教師が問い質《ただ》すと、タッちゃんが泣いているのを見つけたぼっちゃんが、「男がめそめそするものではない」とからかった。これにタッちゃんが反発して、殴りかかってきた。ぼっちゃんは、これに応酬したという経緯らしい——。

タッちゃんが泣いていた理由は、前の日に、柴犬の太洋を、供出したからだった。大きな犬は軍用犬として少し前に徴用されたが、柴犬のような小さいものは、そのころまで家庭で飼われていた。これが、やはりなぜだか供出命令が出て、肉が缶詰に、皮が軍服になって兵隊さんに送られるそうだと、妙な噂も流れた。

兄弟のようにかわいがっていた犬をお国に差し出して、タッちゃんはひとりぼっちで泣いていた。恭一ぼっちゃんだって、タッちゃんの家に行けば太洋といっしょに遊んでいたのだから、親友の気持ちがわからないはずがない。

教師もそれを不審に思ったらしく、ほかに理由があるのではないかと訊いたそうだ。

しばらく答えをしぶっていたが、それぞれが少しずつ語ったところによれば、このところ二人の仲は以前ほどうまくいっていなかった。それというのも、もう一人の仲良し、セイちゃんと遊ばなくなったためだ。恭一ぼっちゃんと、タッちゃんとセイちゃんは、ずっと仲良し三人組だったのだが、セイちゃんのお父さんがスパイ容疑で捕まってから、ぼっちゃんは、セイちゃんと遊ばなくなった。

ところが、タッちゃんはこっそり、セイちゃんと遊んでいるという。それを快く思っていなかった恭一ぼっちゃんは、太洋を思って一人で泣いていたタッちゃんを見つけて、意趣返しをしたのだそうだ。

「石川清太《いしかわせいた》の父親は危険人物ですから、ご子息が距離を置こうとされるのも当然のことであります。しかもこのたびは、先に手を出したのが、佐橋達吉とはっきりしているので、ご子息は売られた喧嘩を買った形になります。ただ、お国のために心を一つにすべきときに、私事での暴力は許されないので、喧嘩両成敗で教室に立たせました。学校での制裁は済んでおりますから、これ以上お叱りになる必要もないと思われます。

しかし、一つ気になることがありましたので、お知らせ致します。周りで喧嘩を見ていた者が言うには、佐橋達吉が妙なことを言ったというのです。事実とは異なるかもしれませんが、時局が時局ですので、誤解を招くような行動は慎まれたほうがよいかと――」

奥様が真っ青になられた理由がわかった。

男のくせにめそめそしやがって。

隠れてこそこそ清太と会ってるだろう、知ってるんだぞ。

ちぇっ。犬を取られたくらいで、泣くなんて、みっともねえなあ。

恭一ぼっちゃんに、さんざん厭味を言われたタッちゃんは、堪《こら》えきれずに殴りかかった。

　けれど、喧嘩はぼっちゃんのほうが強い。

　そこで、守勢に立たされたタッちゃんは、苦し紛れにこう言ったのだ。

　お前の母親が若い男と歩いているのを見たぞ。

9

　わたしはその手紙を、奥様がご自分宛のお手紙を入れていらっしゃる状差しのいちばん奥に、目立たないようにしまった。旦那様やぼっちゃんが、そこに手を突っ込むことなどまずありえないだろう。

　奥様が気づいて探されるとすれば、まずそこを見るだろうし、ひょっとしたらご自分で片づけたと思うかもしれない。問われたら、わたしが片づけたと正直に言うつもりだった。さらに問い詰められたら、読んだことも言わなければならないと覚悟もしていたが、奥様は、その後、お手紙については何もおっしゃらなかった。

　わたしの悩みは、奥様が若い男と歩いていたのは、いったいいつか、だった。

　板倉さんのお住まいは、ぼっちゃんの学校と駅を挟んだ反対側だったから、あの学校の生徒が二人を見かけていてもおかしくはない。けれども、お見合い騒ぎで奥様が頻繁に板倉さんを訪ねられたのは、そのころから振り返ると二年も前の話だったし、その後、お二人が会っているとは思えなかった。

奥様が一人でお出かけになる機会もめっきり少なくなっていた。あったとすれば、「翼賛選挙貫徹婦人同盟」の会合とか、睦子さんに誘われて出かける「大日本婦人会」の講演会とか、そんなものくらいだ。

タッちゃんは、追い詰められて猫を噛む鼠のように、ぼっちゃんを苦しめるためにだけ、二年前に見た記憶の中の光景を引っ張り出したのだろうか。

しかし、一瞬にして冷静さを失った奥様のお姿を思い出すと、二年前に終わった恋を思い出しただけとも思えない――。

わたしの心の中もざわついた。

十四でご奉公して以来、奥様のことは何でもわかっていると思っていたのに、わたしの知らない時子奥様がそこにいるようだった。

お夕飯の席で、旦那様がぼっちゃんの顔の痣のことを問われ、言いづらそうな報告と、形ばかりのお小言があった。旦那様とぼっちゃんの間にも、少し距離が出来始めていた。それが生さぬ仲だからか、それとも成長期の男の子の扱いづらさゆえか、わたしにはよくわからない。

奥様をまた動揺が見舞うことになったのは、それからしばらくした秋の日のことだった。

10

あの日は、珍しいことに、恭一ぼっちゃんの従兄の正人ぼっちゃんがいらしていた。

正人ぼっちゃんは、府立高等学校から首尾よく帝大の理科に進んでいらして、その優秀さは、時子奥様のお姉様である麻布の奥様が、ことあるごとに吹聴されていた。比べて恭一ぼっちゃんの学業成績は、すこぶる悪かった。学校行事は率先して行い、明るくて元気がいいので、先生の受けもよかったけれども、試験のお点となると、とんでもなく低いものを取ってくる。

時子奥様は心配されて、正人ぼっちゃんを家庭教師によんだのである。翌年は恭一ぼっちゃんも、中学進学を控えていたからだ。

麻布の奥様などは、

「このごろじゃあ、新しい中学が、雨後の筍並みにできるじゃないの。近頃できたのが、府立二十三中でしたか。一中や四中に入ろうというんじゃないなら、めくじら立てずとも入れるでしょう」

と、端《はな》から馬鹿にしてかかっていた。

一中や四中というのは、当時の名門校のことだ。十中くらいまでが、古くからあって歴史のある中学で、特別成績のよい子弟が入るイメージがあった。もちろん、新設校であっても、上級学校へ進むのは、それなりに難しかった。東京郊外は人が増えて、学校はいくら造っても追いつかないという話だった。

二階でお勉強をしているお二人のために、わたしは薩摩芋を蒸かして持って上がったのだが、ちっとも勉強するご様子はなく、人を持ち上げるのがうまい恭一ぼっちゃんが、正人ぼっちゃんをいい気にさせて、おしゃべりをしているのだった。

「中学に入れば英語もやるし、古文もやるし、勉強は相当難しくなる。そこでついて行けない者は、ふるい落とされる。本気を出してからなければならない」

眼鏡をかけた正人ぼっちゃんは、大得意でそんな話をしていた。

「英語は、そんなに難しいの？」

「それは、やる者の心がけ次第だよ」

「マーちゃんには、そんなに難しくないね？」

「俺はどちらかというと得意だね」

「『撃ちてしやまん』は、英語でなんて言う？」

「『撃ちてしやまん』か。それをちょうど、雑誌で読んだところだよ。『アンチル・ジ・エネミー・イズ・クラッシュト』と、こう言うんだろうな」

「アンチル・ジ？」

「アンチル・ジ・エネミー・イズ・クラッシュト」

「アンチル・ジ・エネミー・イズ・クラッシュト」

ブーン、と言いながら、ぼっちゃんは手の平を頭の上で旋回させ、プシューン、ババババ、ドカーンと、飛行機が撃墜される音を次々口で出していた。

「『撃ちてしやまん』のような合言葉を、勉強に役立てることは大いに奨励されていいと思うね。この間、久しぶりに『窓雪時代』を立ち読みしたところ、興味深い投書が掲載されていてね」

「『窓雪時代』って、中学校の生徒が読む、受験の雑誌だね？　マーちゃんはもう大学生でしょう。それに、高等学校受験だってしなかったのに、なんでそんなのを読むの？」

「受験勉強そのものが好きだからなのさ。それに、あの雑誌の懸賞小説は質が高いんだ。ところでその投書とは、『撃ちてしやまんの、品詞分解をお願いします』と、こういうものだったのさ。『撃ち・て・し・や・ま・ん』と、こうなるのだけれどもね。この語句の中で、もっとも重要なるものは、強意の副助詞の『し』だろうな。そのあたりに、面白みを感ずることによって、勉強はずっとずっと身近になるよ。これをきっかけに、古事記や久米歌《くめうた》に対する興味が湧いてきたりと、知識は常に次の知識を連れてくる……」

どんなに恭一ぼっちゃんがお調子者でも、相手がこれでは楽しくもなさそうだった。

わたしが持って入ったお盆を見て、目を輝かしたぼっちゃんは、さっそくお芋にかぶりついたものである。

夜になると、ご一家は、正人ぼっちゃんを交えて少しばかり賑やかな夕食を持たれた。

その席で、旦那様が、おっしゃったのだ。

「板倉君に、召集が来た。まあ、年齢にしては、遅い召集だったね」

「召集……」

奥様は静かに繰り返された。

あの時代、召集が来ることは誰もが知っていたから、ことさら驚いた様子は見られなかったが、何を思い出したのか奥様は寡黙になった。

いっしょにご飯を食べていた正人ぼっちゃんが、板倉さんとは誰かとお尋ねになり、旦那様が、ご自分の部下だと答えていらした。

「正人君は、徴兵猶予だろう？」

「自分は理科ですので、兵隊には取られません。同期の者も文科学生は、この秋から学徒出陣ですが」

といった会話が交わされたように覚えている。

でも、その正人ぼっちゃんも、終戦の年には召集になった。板倉さんにしても、正人ぼっちゃんにしても、「取られない」と聞いていた人はみんな結局、兵隊に取られた。

「入営は七日後、弘前《ひろさき》だと言ってた。工場はどうとでもなるから、早く帰って家族とゆっくりするように話したが、彼の場合、故郷に戻っても婿養子に行った兄さんがあるきりで、両親がないから、することがないと言っていたがね。明日の夜は、会社で壮行会だ」

そうですか、と小さい声で相槌を打たれた後で、意を決したように顔を上げた奥様は、ぱぁっと明るい笑みを浮かべてこうおっしゃった。あれは、わたしが久しぶりに見た、旦那様におねだりをするときの顔だった。

「ねえ、あなた。板倉さんには恭ちゃんもずいぶん遊んでいただいたし、先《せん》はよく遊びにいらしたじゃないの。弘前に帰る前に寄っていただきましょうよ。婿養子の兄さんの家じゃ、くつろぐこともできやしないわ。なんにもないけれど、せめて手料理でも召し上がっていただくのはどう？」

旦那様は少しの間、箸を止めて何か考えるようなそぶりをされた。

そして、奥様のお顔をじっとごらんになり、

「そうだな。それがいい。そうしよう。明日、予定を訊いてみるよ」

と、おっしゃって、

「南方だろうからな、行くのは」

そう、つけくわえた。

なにかひどく、ひんやりした感じがあったのは、気のせいだろうか。

11

翌々日に、板倉さんは平井家を訪れた。

ほぼ丸二年、板倉さんにお会いしていなかったから、カーキ色の国民服を着ていらっしゃるのを見て少し不思議な気がした。板倉さんといえば、白シャツに明るいグレーのズボン、ノーネクタイで腕まくりをしている様子が思い浮かぶからだ。

庭の栗の木がたくさん実を落としていたので、その日、わたしは、栗ご飯を炊いた。配給の鰯をつみれにして汁物にし、庭で作った薩摩芋を煮た。

お酒は、切符制になる前に、酒屋を締め上げて買い溜めしておいたものがいくらか残っていたので、お燗にした。板倉さんはそんなにたくさん召し上がらないので、混ぜ物なしのお酒を出してあげることにした。

灯火管制の薄暗い中でも、気心の知れた人が集まれば、和やかな空気になる。

板倉さんは昔と同じように、お家の造りを細部まで批評して、建築の話や美術の話をなさった。一つ器が出てくれば、それを褒め、庭の花を切って生けた鉢を見れば、それを褒め、まるでこれから戦地に行くことなど、忘れてしまったのかと思われるほど、くつろいで楽しそうに過ごされた。

「弘前へは、いつお発ちですか」

お茶を勧めながら、奥様が問われた。

「あさっての夜行で発とうと思います」

「まあ、あわただしいこと」

「入営まで一週間あるのは、いいほうだと聞きますよ。今日は、おかげさまでいい思い出ができました」

おとなしく、優等生な挨拶をして、板倉さんは帰っていった。

その翌日のことだ。

旦那様とぼっちゃんがお出かけになり、わたしは庭仕事をしていた。

「タキちゃん、ちょっと、出かけるわ」

奥から声がかかった。

お勝手口から戻ってみると、奥様はたしかにお出かけのご様子で、地味な銘仙だが、髪も整えられ、風呂敷包みを手にしている。

「はあ、どちらへ」

「ちょっとね」

「はあ。お戻りは何時ごろに」

「ちょっとよ」

なんとも歯切れが悪いので、しばらくぼんやりしていたわたしの頭に、稲妻のようなものが走った気がした。

12

今日はもう夜が遅いから書くのはやめよう。

いまやこれは、わたし一人が秘密に書いているのではなくて、健史も読んでいる。すなわち読者がいる。そのうち、例の若い女の編集者も連絡を取ってくるだろう。そうしたらこれを読ませることになるだろう。

そのことを、よく考えようと思う。

13

奥様がなさろうとしていたことが、あのとき、瞬時にわかった。

そこでわたしはうろたえて、困惑して、そんなことをさせてはいけないと思った。昼日中から、部屋を訪ねたりすれば、誰に見られるかわからない。タッちゃんのことがあった後だったから、不用意に駅を使うだけだって、人にはどう言われるかわかったものじゃない。しかも今のような時代とは違って、世の中は「総力戦」だの「決戦」だの、「火の玉」だのと言っていたころだ。聖戦に向かう兵士の決意を鈍らせるようなことをすれば、それだけでも非国民だと後ろ指さされるところへもってきて、奥様にはご家庭がある。

これは、小中先生の言う「火にくべるべきこと」なのか。

小中先生のお話では、ご主人様がご自分ではおできにならないことを代わってやって差し上げるのが頭のいい女中だったが、時子奥様の場合と、イギリスの学者さんとでは、置かれた状況がまったく違うのである。

ご自分では抑えることができない激情を、抑えて差し上げるのが、わたしの務めなのか。それとも、奥様が本心からなさりたいことを、お手助けすべきときなのか。

わたしの頭は混乱した。

わたしの中に、二人のわたしがいて、一人は、逢わせてはいけないと、言う。戦時下に、そんなことをするなんて、絶対にいけないと、そのわたしが言う。

もう一人のわたしは、逢わせてさしあげなさい、と言う。もうこれきり逢えないかもしれないのだから、逢わせてさしあげなさい、と言う。

わたしは未だに迷い、迷う。

わたしは奥様に申し上げた。

「およしになったほうがよろしゅうございます」

「千人針をお渡しするだけよ」

「それなら、わたしが参ります」

「どうしたの。今日のタキちゃんは、意地悪だわ」

「意地悪で申し上げているのでは、ございません」

「どいてちょうだい」

「どきません」

わたしは未だに迷い、迷う。

14

わたしは奥様に申し上げた。

「こうしましょう。お手紙をお書きくださいまし。今日、タキが届けて参ります。明日、昼の一時に、お会いしたいとお書きください」

「あらどうして」

「明日、こちらへお訪ねいただくのです」

「だって、どうして」

「奥様が出向かれて、ぼっちゃんの同級生に見られては困るからです」

奥様は、驚いて目を見開き、それから、きつい目でわたしをごらんになった。

「ここなら、誰かに見られても、どうとでも言い訳が立ちます」

「言い訳って？」

「わたしにお隠しになることはありません。言い訳はわたしが考えます。ここなら、わたしがおりますから、人の噂にもならないでしょう。でも、もし明日、板倉さんがお見えにならなかったら」

「ならなかったら？」

「お諦めになってください」

奥様はお手元の風呂敷を卓袱台の上に落とした。

15

弘前にお帰りになる日の午後、板倉さんはゆらりと坂を上っていらした。

グレーの背広に、タックの入ったグレーのズボン、白いワイシャツに細身のネクタイを締めていた。

奥様は、縞の木綿長着を仕立て直した、長袖のワンピースをお召しだった。縦縞をバイアスに裁《た》って矢模様にはぎ合わせたモダンな柄は、奥様がデザインされて、わたしが縫った。髪をゆるめに編みこんで髷をつくり、うっすらとお化粧をした時子奥様は、ことのほか美しかった。

庭は、また、オレンジ色の金木犀が、よく香る季節になっていた。

お二人が何を話されたのか、それとも話す必要などなかったのか、わたしにはわからない。板倉さんが家にお入りになった後、わたしは外に出て、ずっと庭仕事をしていた。

あの日、坂の上の小さなおうちの恋愛事件が幕を閉じた。

第七章　故郷の日々

1

「ねえ、タキちゃん。あなた、そろそろ、お里へ帰る？」

奥様がふと、わたしを呼んで、そんなふうにおっしゃったのは、昭和十八年の暮れだったか。心の奥のほうで、何かが、ぱりんと、割れたような気がした。

平井家を辞したのは、昭和十九年の、三月のことになる。

あの時間は、いつまでもあそこで止まっていて、いくら年月が経っても鮮明なままだ。戦後になって、いくつものお家にご奉公したけれど、それはまた別の時間が流れるようなもので、何かが違う。それどころか、年を追うごとに昔の記憶ばかりがくっきりと甦る。年を取るとは、そういうことだ。健史のような若い者には、まるでわかるまい。

少しだけ胸が苦しくなるのは、わたしと奥様との間に、微妙な距離が生まれたのを思い出すときだ。

十八年の秋に板倉さんが応召して、それから後、奥様は生気を失ったようにぼんやりされて、あまり何も話されないようになった。たまさか目が合うと、すっと脇に逸《そ》らされるので、わたしは自分のしたことを打ち消したい気持ちになった。あのときいったいどうすればよかったのかと、こんな年になってもまだ答えが出ない。

人の気持ちは、いったん離れてしまうとなかなか元に戻らない。ぼっちゃんの小学校の先生から奥様に宛てた手紙を開いてしまったあの日に、いろんなことは始まっていたのだと思う。もしかしたら、その前からかもしれない。わたしの知らない奥様がいらしたように、奥様にとっても、ご自分の見たことのないタキがそこにいるような心持ちがしただろう。

秘密はときによると、人のつながりを強めるけれども、場合によっては疎遠にもする。奥様の秘めた思いを存じ上げているという事実は、わたしと奥様の関係には、ひどく重たいものになってしまった。

あの秋、東京の疎開計画が発表された。東京空襲は、いつあってもおかしくないそうで、住宅の集まった区域の人は十九年の春までにみんな疎開して、建物は危険だから取り壊すという話だった。

平井家があったのは郊外で、まだ林や畑のある場所だったので、疎開区域には入っていなかった。けれども、睦子さんの言う「決戦下」の空気は嫌でも立ち込めてきて、みんなひどく手に入りにくくなった食べ物の話ばかりするようになっていた。

十九年の春には、恭一ぼっちゃんが念願の中学に入学した。入学試験は三日間もあり、最初の日が口頭試問、翌日は体育で、跳躍、懸垂、駈足、その次の日が筆記試験だった。府立第二十五中は新設校で、麻布の奥様がおっしゃるには入りやすいところらしいけれども、勉強嫌いのぼっちゃんにしては、ずいぶんがんばった成果だ。ぼっちゃんの進学は、とにかくめでたかった。

けれども、その前々から、わたしも、ぼっちゃんの入学までと、心を決めていた。奥様があんなことをおっしゃったのには理由があって、東京は空襲が怖いから帰ってくるようにと、里からわたしに何度も手紙が来ていたのだ。

以前は、そんな手紙が来ても、

「タキちゃんのいない生活なんて考えたくないわ」

と、おっしゃる奥様のお顔を見ると、まったくその気にならなかったものだが、潮時だった。まわりを見渡しても、女中のいる家庭はずいぶん少なくなっていた。旦那様も奥様も一言もおっしゃらなかったけれども、人様から見て、平井家の余計な食い扶持《ぶち》と思われるのもつらい。

あれは、ぼっちゃんが中学に入るより少し前の、冬の日だったろうか。午後になって、表でお洗濯物をとりこんでいると、学校から帰った恭一ぼっちゃんが後ろから抱きついてきて、うっかり尻餅をついてしまったことがあった。幸い、洗濯物は腹の前でしっかり抱えていたから汚れなかったが、ごめんよ、ごめんよと言ってわたしを助け起こしたぼっちゃんの手が、脇からすっと入ってきて胸に触れた。

「あれ」

思わず叫んで、わたしは身をこごめ、脇をひたすら締めたのだが、すでに前のほうに回ってきている指を、強く締めつける結果にしかならず、ぼっちゃんの手が、ぎゅっと胸をつかむ形になってしまった。

あわてて駆け出すわたしを、後ろから抱くようにして、ぼっちゃんが大股でついてきた。縁側に洗濯物を放り出すと、ようやっと手が離れた。

「あ〜、びっくりした。ぼっちゃんたら、まったくもう」

睨《にら》みつけても、ぼっちゃんは、へらへら笑っている。

背丈はとうとうわたしを追い越し、笑うと片一方のほっぺたに笑窪《えくぼ》が入った。時子奥様と、前の旦那様の、いいところばかりもらったぼっちゃんは、眉のきりっとした美男子で、きっとこれから何度も何度も、女を泣かせるに違いないと思わせた。

わたしはつい、縁側に座り込んで、ぼっちゃんと二人で笑ってしまった。

よく晴れた冬の日の午後で、お庭には白い椿が咲いていた。

「恭一、二階へ行って勉強しなさい」

奥から、少し厳しい調子の声が聞こえた。

このころにはもう奥様も、「恭ちゃん」とは呼ばなくなっていたのである。

ぼっちゃんが階段を上るのを見送られてから、奥様は縁側に出ていらした。

「恭一ももう、子供じゃなくなってくるのよ。なによ、笑ったりして。不謹慎だわ。あなたのほうで、気をつけてくれなければ困るじゃないの」

すみませんと、わたしはお答えした。

気がつくと、いろんなことが変わっていた。

平井家には十一年と少し、ご厄介になった。奥様や恭一ぼっちゃんとごいっしょだったのは、もっと前からだから、十二年以上になるか。一つところへそんなに長くご奉公できた女中もそうはいないだろうし、なにしろ平井家は、わたしのすべてだった。

2

恭一ぼっちゃんの、国民学校卒業と、中学校入学のお祝いを、須賀の大旦那様、大奥様を加えて、賑やかにとり行ったのが、わたしの最後の大きなご奉公だ。入学を控えた三月の終わりの、午後早くにお祝いのお食事会は催された。

あの日に作ったのは、とっておきの白米で作った散らし寿司だった。具は甘く煮たかんぴょうと貝の剝き身。塩漬けにした大根の葉と、海苔、少量の炒り卵を彩りにした。吸い物には大根とにんじんを水引のようにあしらい、大和芋のすりおろしと、庭で取れたふきのとうをてんぷらにして塩を振った。

焼酎につけこんでおいた干し柿を寒天で固めたお食後もつけた。

「あらまあ、時子のお家は、お食卓が華やかねえ」

と、大奥様が褒めてくださった。

少ない材料でも手間隙《てまひま》をかけ、工夫をすれば、それなりにご馳走風にみえる。奥様はお皿のアレンジがお得意で、庭の野草や、赤く映える南天の実を彩りに添えて、なんでもないおかずをおいしそうに演出された。こういうものは、食べられなくても、人の心を和ませる効果がある。

お食事の後は、ぼっちゃんがカーキ色の制服を皆さんにご披露したり、愛国百人一首でカルタ取りをしたりした。暗くならないうちに、お開きにして、おじいちゃま、おばあちゃまはお帰りになったが、ぼっちゃんは遅くまで制服を着てはしゃいでいた。夜は、あっさりしたお雑炊を召し上がっていただいた。

平井家を出たのは、その翌々日だったと思う。ご一家の日常に支障のないように、あまりおおげさなこともしないで、ぼっちゃんが青少年団の集まりに出かけている間に、わたしは失礼することにした。

もちろん、挨拶もなく居なくなったわけではない。少し前から、時期も含めて知らせてあった。

ぼっちゃんは前の日に、

「もうすぐ日本が敵を全部やっつけるから、そしたら、戻っておいでよ」

と言ってくださった。以前なら、恭一ぼっちゃんも泣いたと思うが、さすがにもうすぐ中学生ともなると、しっかりしている。

最後の数ヶ月は、わたしと奥様にとっては、それまでになかったほど、ぎくしゃくした期間だったけれど、それでも居なくなる前に奥様は、お着物やお洋服をずいぶんたくさん包んでくださった。

「困ります、奥様。これはお手元に置いておけば、食糧と交換できますから」

わたしが遠慮すると、

「いいのよ。気持ちよ。タキちゃんがお嫁に行くときは、新しい着物を仕立てて、首飾りや指輪だっていいのを持たせてと、わたし、いろいろ考えていたんだもの」

そう、奥様はおっしゃって、あれもこれもと包むものだから、さすがにわたしは困って、お願いしてお着物とワンピースを、それぞれ一つだけ、選《よ》っていただくことにした。

十年以上住んだからといって、わたしの荷物などたかがしれていて、風呂敷包みが二つもあれば帰れるほどの量だった。

「それから、これねえ」

持っていらしたのは、金の縁取りのある、紅茶茶碗だった。

「いけません。そんな高価なものはいただけません」

「だけどねえ、長く使ってるうちに割ってしまって、二客きりしか残ってないのよ。中途半端でお客様には出せないし、ほんとは金属回収のときに出そうと思ってたんだけど、うっかりして出さずじまいになってたの」

「だって、これ、奥様がお嫁にいらっしゃるときにいただいたものじゃありませんか」

「あなた、古いことをよく覚えてるわね。知ってるのは、タキちゃんとわたしっきりよ。だからね、こうしようと思うの。あなた一つ持ってって頂戴。わたしが一つ持ってるわ。お揃いを、一客ずつ持つのよ。楽しいじゃない？　長く、いっしょにいた記念よ。戦争が終わって、なにもかも落ち着いて、あなた、まだお嫁に行っていなかったら、それ持って戻ってきてよ」

「お嫁になんか行きませんよ。行きたくとも、先がありませんもの」

「そんなことわからないわよ。戦争に勝ったら、兵隊さんがどんどん凱旋帰国するんですもの。タキちゃんみたいなよくできた娘は、引く手あまただわ」

「そうでしょうかねえ」

「当たり前じゃないの。どんないいお家へもお嫁に行けるように、わたしがみっちり仕込んだんだもの」

奥様は楽しそうに笑われた。わたしはその後、少しめそめそしたが、奥様は泣いたりされなかった。わたしは、奥様のそういうところも好きだった。

去るに当たって、わたしは奥様に、農園の北村《きたむら》さんやら、懇意にしている魚屋やらの情報を、しっかりとお伝えした。練馬に農園を持っている北村さんは、軍や憲兵隊に知り合いがいるので、闇物資のほとんどがお目こぼし状態にある。だから、ご本人が作っている野菜や果物だけでなく、米だの豆だの、ときによるとバターだの缶詰なんかも持っていることがあって、お金を出せばわけてもらえるのだ。魚屋や米屋は、配給になってからは、なかなか融通が利かなかったけれども、それでもかつていろいろ便宜を図っておいたので、同じ平目一枚でも、よそより大きいのを見繕って回してくれた。

「まあ、ずいぶんと、いろんなことをしてくれていたのねえ。タキちゃんがいなくなって、うち、ほんとにだいじょうぶかしら」

説明を終えると、奥様は心配そうになさった。

「だいじょうぶですよ。ここのお家のことは、特別によくしてくださいと、わたし、みんなに頼んでおきましたから」

去りたくはなかったが、そうもいかない。汽車の時間があるのでこれで、とご挨拶をすると、奥から旦那様も出ていらして、

「淋しくなるなあ」

と、おっしゃった。

あまり喜怒哀楽をお見せにならない旦那様だけが、そんなふうに、言葉にされた。

山形へ帰るのも、十年ぶりだった。

奉公して一年目や二年目には、藪入りに里へ帰っていたのだが、昭和九年に東北の大凶作があって、食べるものがないので戻るに及ばずと、実家から手紙が来て以来、帰っていなかったのだ。

お暇をいただいて、春日部の親戚の家に遊びに行ったことなどもあったが、それもやめてしまって、いつのまにか東京のほうが、住み心地もいいと思えるようになっていた。

わたしにとって、「家」といえば、奥様とぼっちゃんのいる、高台の赤屋根の家だった。どこへ嫁に行くかわからないが、できれば通いで平井家の女中ができる家に嫁ぎたいと、思うようになって何年経っていたものか。

田舎の両親に会うのも、おっくうさが先立った。わたしの田舎では、二十歳前に嫁に行くのが当たり前だったから、わたしのようなものはとうに行き遅れだった。それでも、会えば、嫁に行けと言われるに決まっていた。おおかた村に残っている、あまり若くない男にでも嫁がされて、二度と都会には出て来られないだろうと思った。

七時過ぎに上野を出る夜行に乗る予定だったが、昼近くには、平井家を出た。見納めの東京を見ておきたいほどのこともなかったが、その日に里行きの列車に乗ると決めているものをいつまでも働かせられないと、奥様が気を遣って、早く出してくださったのだ。

私鉄を新宿で省線に乗り換えて上野まで行ったら、急に、都会で過ごしたあれやこれやが、頭の中に甦ってきて、故郷へ帰るのがすっかり嫌になってしまい、このまま品川へ出て鎌倉へ行ってしまおうかとさえ思ったりした。もちろん、思っただけで、実行はできなかったけれども。鎌倉行きもずいぶん遠く、懐かしい思い出になっていた。

しかし、結局何をするでもなく、上野の公園をぶらぶらするくらいがせいぜいだった。物見遊山の時代ではなかった。

三月に郷里へ帰ると決めたのだって、こっちの事情ではない。なにしろ、翌月になると、長距離旅行の切符にも制限だかなんだかが出て、うっかり汽車へも乗れなくなるという話だったのだ。

おかげで上野駅は疎開の人たちでごった返していて、切符を買うのも長蛇の列だった。せめてもの思い出にと、そのころ話題になっていた雑炊食堂に入ろうとしたけれど、これもまたものすごい人の列が続いていて、結局、順番が回ってきたときには、売り切れてしまった。どうせ、ろくなもんじゃないだろうと思っても、食べられないとなると腹が立つ。いっしょに並んでいた年寄りが言うには、一杯じゃとても腹が持たないから、すっかり食べた後でもう一度並んでも、満腹にはほど遠いとのことだった。わたしにしてみれば、一度食べた者が二度も三度も並ぶから、こんな行列になるのだと、そのことも腹立たしかった。

中途半端に時間があったので、駅の近くの映画館で、『加藤隼戦闘隊』を観た。腹をすかせて乗り込んだ列車は、真夜中に福島に着き、奥羽本線に乗り換えて、翌日の朝、ようやく故郷の地を踏んだ。

あんまり長いことはなれていたせいで、懐かしいという感慨もわかなかった。あのときのわたしの服装は、縞のもんぺに、こげ茶の外套で、その外套が都会者染みていけすかないと、妹に言われたのも、思い出した。

3

十年も会わなかったから、さすがに両親は年を取っていたが、それでも、母は、よく帰った、よく帰ったと、旨い煮物を作って歓迎してくれた。芋のたっぷり入った味の濃いごった煮は、懐かしくて旨かった。

きょうだい六人のうちの、上の兄は中支から名誉の負傷で帰国し、その後、仙台の工場で働いていたが、やはり空襲が怖いという理由で、女房と子供二人連れて、戻ってきていた。

下の兄は兵隊で外地。嫁いでいた姉二人も、夫をそれぞれ兵隊と徴用で取られたため、子連れで疎開してきて、年の離れた下の妹はまだ嫁に行かずにいた。この、下の妹の孫が、健史だ。もともと、家族が大勢で住めるような家じゃないから奉公に出されたのに、わたしまでがここにいていいのかと悩むような、突然の大所帯だった。

しかし、追いかけるように徴用が来て、その悩みもふっとんだ。

場所は山形市内の飛行機工場だった。結局、親きょうだいと暮らしたのはわずかの期間で、山一つ越えて県庁のある市内のほうへ出て行って下宿生活に入った。

共同生活の食事は、大根飯や高粱飯《コーリャンめし》ばかりだったし、部屋も大部屋で、東京の平井家の生活とは大違いだった。あのころどこでもそうだったが、大部屋にはのみやしらみがいて、絶えず喰われるのでとても困った。

それでつい、懐かしい東京の話なんかをしてしまうと、

「すかしったな」

と嫌われたりした。

いっしょに働いていたのは、やっぱり徴用で来た、年寄りの大工だとか、花街挺身隊なんて、田舎芸者の特攻部隊みたいなのもいて、三味線を持つ手の器用さが航空機産業には生きると、地元の新聞におだてられてからは、ひどく気をよくして働いていた。

十年ぶりに帰ってみたら山形は「航空産業の県」になっていた。

里のほうで産業といえば、農業のほかはお蚕《かいこ》さんと織物のイメージしかなかったから、驚いた。大凶作や不況や、織物の輸出制限を乗り切るために、ずいぶんと大きな転換をしたらしい。大東亜戦争の決戦体制に突入するに及んで、航空機産業が飛躍的に発展し、他県を圧倒する存在になっているのだと、耳にタコができるくらい、聞かされた。

変わってしまったのは、都会ばかりじゃなかったのだ。

「幸いにして、わが県は山に囲まれ、ブナ材が豊富に採れる。このブナ材と山形県の技術力をもってすれば、優秀なる木製戦闘機の増産は疑うべくもないっ！」

〈増産報国〉と大書したスローガンの貼ってある工場で、毎朝朝礼のときに工場長は、酔うように絶叫したものだった。

それで、毎日毎日、木製のプロペラを磨くことになったが、どうもそれを見ていると、

旦那様の作っていらした玩具が思い出されて困った。最後にはベニヤ板や紙やス・フ製になって、ついにはなくなってしまった、ブリキ飛行機のことだ。ぼっちゃんの持っていたブリキの戦闘機には、とても精巧なプロペラがついていた。

だからといって、木製プロペラもいずれ作れなくなって日本が戦争に負けるだろうなんてことは思いつきもしなくて、とにかく目の前の仕事をこなしていた。

だって、考えるといえば、やはり東京の生活のこと、奥様のこと、ぼっちゃんのことであって、戦局がどうした、航空機産業がどうしたなどと、わたしがどうこうする類の話ではなかったのだ。

ぼっちゃんのことをしきりに思い出したのは、神町若木原《じんまちおさなぎはら》の飛行場建設のために、山形中の中学生たちがモッコ担ぎに駆り出されたのを聞いたときだろうか。

村山盆地の真ん中のなんにもないだだっぴろい野っぱらが、海軍の飛行場になると決まって建設が始まったのも、わたしが工場に勤めたのと同じ、昭和十九年の四月ごろだった。

ぼっちゃんと一つ、二つしか違わない、まだ骨格もおぼつかない中学生が、朝の四時に起きて暗い雪道を建設現場へ歩かされ、ろくな食事も与えられずに、日がな一日、工事に当たっているという噂は、風に乗って工場にも届いた。

もし、ぼっちゃんが進学先で勤労動員に遭い、大人の屈強な男だって耐え難いような重労働をさせられていたらと思うと、たまらない気がした。子供のころに比べれば、体格もよくなっていたし、調子がいいから誰といっしょでもわりにうまくやるだろうけれど、やっぱり都会育ちだから、ひ弱で力仕事が得意なはずはない。

「あだな細ぇ体でなあ」

同情する言葉を聞くたびに、耳を塞ぎたいような、なんともいえない心地がした。

4

夏になって、新しい仕事が舞い込んだ。

田舎の村で、学童疎開の受け入れが決まり、食事と身の回りの世話をする女が必要だというので、白羽の矢が立ったのだ。

総勢四十名からの子供たちが、東京からやってくることになっていた。

付き添いで来るのは、男の先生が一人と寮母さんが一人。

家族と離れて集団生活を送らなければならない子供たちには、標準語の話せる、都会の生活を知っている世話係が適任だと、子供をあずかる寺の住職が名指しでわたしを呼んだ。厨房の切り盛りや洗濯など、世話一切を任せられるのはタキしかいないと、そこまで言われては、お断りはできない。住職が村の偉い人に掛け合ってくれて、飛行機工場をお役御免になった。

子供たちが来たのは、九月に入ってからだったか。わたしは町での生活を切り上げられるのが、嬉しかった。人数が膨れ上がっている実家に帰るのも気が重かったから、寺に住み込んで、東京のぼっちゃん、じょうちゃんのお世話ができるのも、血が騒いだ。

村の無人駅まで幟《のぼり》を立てて出迎えに行き、

「ヨイ子のみなさん、ようこそ」

と、満面笑みを湛《たた》えて出迎えたが、学童疎開を受け入れるのは、思ったほど甘くはなかった。

来たのは国民学校初等科の四年生から六年生だったが、ぼっちゃんの通っていた小学校とは、ずいぶん雰囲気が違った。

それに、親元を離れたことなんかない子供たちだったから、たいへんだった。

六年生を班長に六人か七人ずつ部屋をわけて寝かせたが、夜になると親を慕って泣くわ、寝小便はするわ、こっそり下剤を食べて腹を下すわ、東京へ帰ろうとして、寺を抜け出して線路を歩き出すわ、目が離せない。

それでも最初のうちは、知らない土地に来た心細さも手伝ってか、地元の小学校に教室を借りて勉強したり、農作業をしたり、おとなしく決められたことをしているようだったが、ひと月もすれば地金《じがね》が現れて、言うこともきかなくなるし、すごかった。

夜中に抜き打ちで目を光らせていないと、悪いのが命令して弱いのをいじめて、布団蒸しにして殺しそうになるから、夜もおちおち寝られないのだ。

これはもう、冗談でもなんでもなくて、ある夜、用事があって子供たちの部屋へ行ったら、部屋中の布団が積みあがった上に、六人からの児童が乗って飛んだり跳ねたりしていて、一人、でかいのが命令口調で、もっと跳ねろと言っていた。

危ないからやめさせたら、布団の奥から、ギューと音がして、なにかと思ったら男の子が一人、虫の息で這い出してきたのだ。

「こんなことして、死んだらどうするの。先生に言いますよ」

頭ごなしに怒鳴って、そのまま引率の先生に言いつけに行こうとしたら、息も絶え絶えの痩せっぽちが廊下へ飛び出して、泣きながらむしゃぶりついてきて、頼むから先生に言わないでくれと言う。

腹の辺りに巻きついて泣くから、見下ろしたら、頭に、むしったようなハゲがあった。ふだんからひどい目に遭ってたに違いない。言いつけたら陰でもっとやられるのだろう。あんな気の毒な子供は見たことがない。この子らも、都会に帰れば父母がいて、恭一ぼっちゃんほどではないにしろ、大事にされ、可愛がられて育っていたのだと思うと、不憫だった。

黙っていたけれども、見てしまったものをなかったことにはできないから、布団蒸しがないかどうか、夜回りしなければならなくなった。

恭一ぼっちゃんが、もう一年遅く生まれていたら、こんな集団に交じっていたろうかと思うと、恐ろしさに眠れなくなりそうだった。ぼっちゃんは喧嘩が強かったから、まさか布団蒸しで殺されはしないだろうが、あんなことは、やられるのも恐ろしければ、やるのも恐ろしい。

それに加えて、食べるものがなかった。

東京にいたころは、事前情報や伝手もあり、出入り業者に顔も利かしていたし、なんといったって平井家にはお金も物もあったから、買い溜めして備えることができた。ところが、疎開の学童のために、役所から出る生活費だの、配給の米なんてものは、まともな食糧を調達する助けにはまったくならない。

寺の住職は、東京へ子供たちを迎えに行ったときに、山形なんて貧乏県で、子供に十分な食べ物があるのかと、親たちに詰め寄られたらしい。

それで、頭にカァーっと血が上り、

「腹いっぺい、か（食わ）せれば、文句ねえべ！」

と、啖呵《たんか》を切ってしまったとかで、腹いっぱいは無理でも、なんとか行きわたるようにしろとワァワァ言うが、厨房をあずかるわたしは、気合だけではなんともならない。

「んでもよ、食い盛りのわらすが四十人もいるんだべ、いぐらあっても、足んね」

「そごを、なんどが、でぎねが？　知り合いの農家さ、願ってよ。少しずづでも、わげでもらえ」

「んでも、見つかっど、ごしゃがれっぺ」

「そごを、なんどが、ごしゃがれねように、見つからねように、でぎねがよー」

「んでも、闇だがら、ただってわげには、いがねべ」

ふんっと、嫌そうな音を鼻から出して、住職は巻いていた袈裟《けさ》をはずした。わたしは黙って受け取った。

「朝ど夜のほがに、昼の弁当もつくらんなね。おがずもなにも、ねえもの」

「ほだなごど、自分で考えろ。弁当のおがずまで、住職が考えるごどでね！」

住職の言うことも、もっともだったので、弁当のおかずは自分で考えることにした。こんにゃくの味噌漬けだとか、野草の佃煮を、配給の玄米の上に散らした弁当をよく作った。

住職は、食事の前にはお経を上げて、

「兵隊さん、ありがとう」

と頭を下げてから食べるようにしつけていたけれど、食事が終わると子供らが手を合わせて、

「おいしいご馳走をいただいて勇気百倍、お国のためにがんばります。ご馳走さまでした」

と唱和するのを見ていると、なんともいえない気持ちになった。いくらなんでも、自分の作っているものが、「おいしいご馳走」には思えなかったのだ。

闇米や野菜を、大きなマントに隠して運び、できるだけたくさん食べられるように工夫してやったが、やっぱり足りなかったのだろう。お釈迦様に上げてあった餅を生のまま ガリガリかじる者やら、人の弁当を取って食う者やら、近隣の農家の吊るし柿を盗む

者やら、文字通り、餓鬼の集団みたいだった。

それでも、たまに東京から両親が面会に来れば、あどけない子供の顔に戻って、楽しそうに笑ったり、甘えたりする。そんなのを見ていると、こんな小さい子たちを、親から引き離して生活させるなんて、あんまり無茶苦茶だという気がしてきた。

親が会いに来ない子が気の毒で、しょうがないから妹に頼んで、かぼちゃの煮たのを作って持ってこさせ、いっしょに食べたりした。

あの、布団蒸しで殺されかけていた子は意外なことに、どちらかといえば裕福な家の子供のようだった。優しそうなお母さんが来て、食べ物も渡していたけれど、翌日にはほとんどすべてほかの子に取り上げられていた。いじめられている窮状を、親に話してはいないようだったが、母親はわが子のあのハゲを見て、どう思ったろうか。

ある日、その、むしったようなハゲの男の子が、厨房にカエルを持って、やってきた。

「農作業のとき、見つけたの。おばちゃんにあげろって、先生が言った」

おそらく先生は、子供同士がカエルを争って喧嘩しないように、厨房に持っていけと言ったのだろう。わたしはその場で開いて串に刺し、醤油をつけて焼いてやった。

「け（食え）」

と言って差し出すと、男の子は困った顔をした。

「何？」

「お食べなさいって、言ったんですよ。いまなら誰も見てません。誰かに訊かれたら、おばちゃんが細かくして今日の晩御飯にみんなに食べさせるって、お言いなさい」

「でも」

「自分で捕ったんでしょう? 早く、食べておしまいなさい」

「おばちゃんは、お母さんみたいな話し方をするね。東京の人みたいな話し方をするね」

その子供も、山の手風の話し方をしたので、懐かしかった。

まるで雰囲気は違ったけれど、わたしはやっぱり恭一ぼっちゃんを思い出した。

5

山形に帰ってから、何度も着物を取り出して眺めた。

帰る日にいただいたものばかりではなくて、十四で奉公に上がってから、ずっと奥様のお下がりを仕立て直して着ていた。だから、持って戻ったのはほんとにいいものばかりで、田舎ではうっかり着られもせず、風呂敷を広げて眺めるのが唯一の楽しみだった。

朝、薄暗いうちに起き出し、誰も起きていないのを確かめて、こっそり姿見の前で着てみることもあった。着物の柄を見ていると、着ていらした奥様や、その着物をいただいたときの気持ちが呼び覚まされて、楽しかった。鏡の前でこっそり、奥様の仕草を真似てみたりした。あの、気の毒な男の子に「東京の人みたいな話し方」と言われてからは、ことさら奥様のような口調で話してみたりした。

思い出す東京の生活は、夢幻のようだった。

夜寝る前などに、一人きりでぼんやりしていると、甦ってくる。

水玉のワンピースを着て飛び出してきた、まだお嬢さんのように見えた若い奥様だとか、新しいお家が建ったときのはしゃいでいらした様子とか、社長さんの蓄音機でジャズを聴いている夏の着物姿だとか、どうしても歌舞伎座の演奏会に行きたくて怒り出したときの表情とか、思い出すのは時子奥様のことばかりだった。髪につけた油、畳紙《たとうがみ》、壜に入った香水、青い缶の中の紅茶、奥様が気に入っていらしたそれらの物も、匂いとともに呼び起こされた。

昼間、子供を相手にしているとき引き比べてしまうのは、恭一ぼっちゃんだったけれど、寝る前に瞼《まぶた》の裏に浮かんでくるのは、あの日やこの日の時子奥様だった。あの方のお傍で暮らしているのは、なんと誇らしかったことだろう。

それ以外に、なぜだかよく思い浮かんできたのは、あぶらっけのない乾いた冷たい手で、わたしの両手を包んだ睦子さんだ。

「女学生のころ、とてもきれいだったのよ、時子さん。そりゃ、あんなきれいなお嬢さん、いなかったわ。みんな好きになっちゃうのよ。そういう時代だったんだもの。中でも一人、毎日手紙を書いて、登下校のときもつきまとって、ひどく本気になったのがいたの。学業も手につかず、翌年転校して、ようやっと卒業して女子大学へ行ったのはいいけれど、時子さんの最初の結婚が決まったときも、酔っ払って自暴自棄になって、騒ぎを起こしたわ。罪ねえ、きれいな女って」

それから、少し難しい小説の一節を暗誦し始めたのだった。

あのとき、睦子さんは、何を言おうとしていたのだろう。

睦子さんには、何がわかっていたのだろう。

わたしの中の東京は、いつまで経っても明るく楽しげだった。

しかも日を追うごとに、頭の中の東京が、奥様のお好きだった華やかな雰囲気に塗り替えられていって、雑炊食堂みたいなものは、すっかり隅に押しやられてしまった。

わたしが田舎で学童の世話をしていた間に、東京はまたさらにひどいことになっていたらしい。サイパンが落ちて、総理大臣が東條さんから山形出身の小磯首相に代わったころから、すわ本土決戦と、新聞も雑誌も書きたてるようになった。来る、来る、と言われていたB29が、とうとう帝都を襲ったのは、十九年の秋だ。以来、空襲が頻繁に東京を襲ったことも、風に乗って聞こえてきた。

けれど、わたしの暮らしていた田舎の村は、軍事目標もなければ、人も少ないから、空襲とは無縁で、いまひとつ、はっきりとは想像できなかった。焼夷弾《しょういだん》の降る中を逃げ惑う体験を、わたしはしたことがない。

田舎でぼんやり夢見ている限りでは、東京へ行けば昔みたいな生活がまだ続いているような気がしていた。

6

昭和二十年の正月のことなど、思い出しても面白くもなんともない。

学童のために、餅の浮いた澄まし汁を作った。住職がたいへんありがたいお経を上げた。

二月ごろになると、六年生たちは、東京へ帰る話ばかりするようになった。中学へ上がる子たちは、入学試験の前に疎開を解かれて、帰京することになっていたからだ。

帝都の空を蹂躙《じゅうりん》するB29の噂は、もちろん伝わってきていた。疎開の学童の中にも、親戚・縁者を亡くす子が出てきた。それでも、やはり東京へ帰りさえすれば、元の生活が待っていると思うのだろう、六年生の顔に少し明るさが戻った。

正直、うらやましい気がした。わたしはもう二度と、都会には戻れないと思い込んでいたからだ。

ところが、人生は何があるかわからない。

わたしは、この年の三月、六年生を引率して東京へ行くことになるのである。

疎開学童といっしょにわたしの村へやってきた男の先生が、二月の末になって変な咳をする。病院に行ったら、結核と診断されて、もちろん、すぐに隔離になった。あの時代は、栄養状態が悪いから、そんな人もよくいたのだ。

さて、それでも誰かが六年生を連れて戻らなければならない。東京から来た寮母さんは、主に低学年の子供を世話していたから、この人が疎開地を離れるのはまずいだろうということになった。いずれにしても、東京からの監督者が二人ともいなくなるのは感心できない。疎開を手配した県議会事務所の担当の人が行く話も出たが、そこまで手が回らないと言われたそうで、住職が愚痴をこぼした。

そのとき、わたしの体には電流が走った。

ここで手を挙げれば、わたしは奥様に会いに行ける。この機を逃しては絶対に東京に出られない。平井家は郊外にあるとは言っても、東京市内の空襲の話を聞くたびに、無事でいらっしゃるかと気が気ではなかった。もし、もう一度、あの家に行けるとしたら、いましかないと、わたしは思った。

「おれが、いぐ」

「なに？　おめーが？」

「東京長がったがら、よぐ、知ってる。おれが、いぐ」

「んでも、おめーが、いねくなったら、誰が、飯、作る？」

「妹、呼ぶ。前がら、時々、手伝いに来てっから」

わたしは久しぶりに、頭をくるくると働かせた。

そうだ、代わりに妹を呼ぶ。

そしてわたしは、疎開の六年生とともに東京へ行く。汽車は夜行だろう。朝のうちに東京に着く。帰りも夜行なら、昼間の時間が空くではないか。

ありったけの米や山菜を、どうすれば隠して持っていけるだろうか。

奥様にお会いできなくとも、食糧を置いてくるくらいは、できるだろう。懐かしい、高台の家をもう一度目にすることができる。

結核を患った先生には申し訳なかったが、めったに降ってこない好運だと思った。

十五名からの六年生を引率するのに、飯炊きの女中で大丈夫なのか、東京から誰か迎えを寄越してもらったほうがいいのじゃないか、そんな話も持ち上がり、二転、三転したが、しっかり者のタキならだいじょうぶだと住職が太鼓判を押したのが決め手になった。

昭和二十年、三月六日、わたしは十五人の六年生と、列車に乗った。

7

それで、戦争はどうなってたの？

健史は不満げに口を尖らせた。

「おばあちゃんの話には、戦争のことが何一つ出てこないじゃない。ものすごいことになってたんでしょう？　レイテ沖海戦で海軍は壊滅的な打撃を受けるんだよね？　もう神風特攻隊も出陣してるよね？　フィリピンは敵の手に落ちるわけでしょう？　硫黄島のことは知ってたわけ？」

「戦争のこと」と健史は言うけれども、それは正しくは「兵隊さんのこと」とか「海軍のこと」とか「戦闘のこと」とかなんとか、言うべきだ。

昭和二十年にもなれば、わたしだって、自分が平和の中に生きてるなんて思っていなかった。本土決戦が間近だと思っていた。

慢性的に聞かされる外地の情報なんて、なんの意味があっただろう。

戦地に行っていない者たちが、戦地の話をするのは、平和なときだ。平井の旦那様は、そういう話がお好きだった。それだって、毎日、空襲警報と警戒警報が鳴り響くようになった東京で、南洋の島の話ばかりしていたとは思えない。

8

夜行は八時に田舎の駅を発った。

落ち着かない学童たちはひどくはしゃいでうるさかったが、九時を回ると一斉に眠りだした。疲れたのと、安心したのと、その両方だったのだろう。

わたしは真っ暗な窓の外に目を向けて、初めて汽車に乗って故郷を離れた日のことを思い出したりした。それはずいぶん、遠い昔のことに思われた。十五年経つか経たないかのうちに、日本中がすっかり変わってしまったのだから。

汽車は七日の朝に上野に着いた。この子供たちのうちの何人かが、親の出迎えに、子供たちは歓声を上げて駆け出した。

三日後の大空襲の犠牲になったと知るのは、少し先のことになる。

山形に戻る列車が上野を出るまでに、半日ほどの時間があった。また、駅の近くをぶらぶらして、今度は食いっぱぐれないようにと、早い時間に雑炊食堂に行った。なるほど菜っ葉の浮かんだ雑炊で、旨いものでも、腹にたまるものでもなかった。

東京に出ることは、葉書で奥様にお知らせしてあったから、その後、省線と私鉄を乗り継いで平井家に向かったのだが、車窓から見る東京の風景は、なんだか乱杭歯《らんぐいば》の口を思わせる、見たことのないものに変貌していた。

例の、疎開政策のせいなのだろう、家があったはずの場所が、ぶっきらぼうな更地になっているのだった。中には空襲で壊された家もあったかもしれないが、多くは空襲対策で倒壊させられたものだった。やられていないうちに壊さなくたっていいじゃないかと、そんな気がしないでもなかった。

新宿を出て、畑や防風林のある郊外の風景が見えてくると、ようやく落ち着いて深呼吸がしたくなった。

帰ったと、実感が湧いてきたのだ。

それでも、降り立った駅から、平井家と反対側の遠方を見れば、かつてなかった高射砲陣地が広い土地を占有していた。

上りかけの坂から見上げると、わたしの大好きだったあの家は、変わらず、そこに立っていた。変わらぬばかりか庭木がさらに背を高く伸ばして、穏やかな、近隣の風景に溶け込んだ姿だった。玄関の白い漆喰《しっくい》も、赤い洋風の瓦屋根も、ポーチの石段も、太い柱も、落ち着きと味わいを加えてそこにあった。

猫柳が綿帽子をつけ、万作《まんさく》の黄色い花が咲いていた。

玄関の引き戸が開いた。庭木の奥に、人影が見えた。

人影は、ゆっくり門扉に近づいた。

「タキちゃん？」

しばらく見ないうちに、少し痩せられた奥様は珍しいもんぺ姿で、首に手ぬぐいを巻いていらした。

「ああ、わたし、朝からそわそわして待っていたのよ。よく来てくれたわねえ、ほんとに、よく来てくれたわねえ」

時子奥様は、そのままお外へ出ていらして、小走りに坂を駆け下りられた。

ふうっと全身から力が抜けていく気がした。わたしたちは、手を取り合うようにして、お家の中に入った。匂いや色や、庭木のそよぐ音さえも、自分の体の一部に思える。懐かしいものにいっぺんに囲まれた。

家に帰ったと、わたしは思った。ここよりほかに、家などないと、若いときに思い定めた家に戻ったと、思った。

「旦那様は警防団の会合にいらしているの。恭一は学校。教練、教練で、たいへんらしいわ。ゲートルの巻き方が悪いと、しょっちゅう叩かれるんですって。毎晩、家で練習してるのに。なんだか自分が叩かれているような気がするわ。四月からは二年生だから、勤労動員よ。ああ、でも、よく来たわね、タキちゃん。ほんとに、よく来てくれたわねえ」

奥様は応接間に通してくださって、腰掛けるようにと、おっしゃった。

「いま、お茶を淹れるわね」

「そんなこと、わたしがいたします。それよりも、奥様。ほんの少ししか持って来られなかったんですけれど」

わたしは被っていた防空頭巾と、綿入れ半纏《ばんてん》、そして腹の胴巻きを外した。

「あら、何？」

それを作るのは、たいへん苦労した。

人に知れては困るから、誰もが寝静まってから夜なべをしなければならなかった。米を、頭巾と半纏に縫いこんだのだ。そのままでは、みな下のほうに溜まってしまうから、小さいお手玉をたくさん作り、刺し子の要領で布をはぎ合わせた中にお手玉ごと縫った。前年の秋に取れた新米で、きちんと精米機で磨いた、ほんものの白米である。軍に供出する米を作っている田舎の農家から、特別に闇でわけてもらった。そのために、奥様からいただいた着物を手放した。胴巻きには、庄内沖で大量に上がった大羽鰯《おおばいわし》の丸干を、竹の皮に包んで入れてあった。そんなにいいものではないけれども、この時期、魚は貴重になってきていた。

「タキちゃん、これは」

奥様は、何かおっしゃろうとして、両手を口に当て、それから言葉を失った。

「奥様、タキが参ったんですよ。手ぶらで伺うと思いましたか」

お茶を淹れて参りますと、わたしはお勝手に向かった。

「待って。待って」

奥様は小走りに後を追われた。

「ほうじ茶よ。鼠入らずの上の段に入ってるわ」

かしこまりました、と答えて、奥様と目が合い、二人で笑った。

どう言ったらいいのだろう、そこは、平井家のお勝手だった。

つまり、わたしにとっては、唯一無二の自分の場所だったのだ。

9

それから二時間ほど、わたしと奥様は、二人だけで過ごした。

お茶の間にほうじ茶を運んで、まるで、いなくなっていた期間なんかないかのように。

旦那様やぼっちゃんが毎日何をして過ごされているか、眼鏡をかけた正人ぼっちゃんが応召なさったこと、ご実家のご両親が福井に疎開されたことなど、懐かしい方々の近況を時子奥様はお話しされた。

そして、悪戯を思いついたような、お得意の表情を浮かべられて、

「ねえ、タキちゃん、いま、何が食べたい？」

と、おっしゃった。

「え？　いまですか？　さっき、上野でお昼を食べましたから」

「そうじゃないのよ。そうじゃなくて、もし、いま、何でも好きなものを食べられるって聞いたら、どこの何を食べたいかって話なの。恭一といっしょに、これを始めると、旦那様、すごく怒るのよ。いやしいことを言うって、おっしゃるの。でも、いいじゃないの、ねえ？　思い出して、楽しんでるだけなんですもの。たとえば、そうねえ、コロンバンのショートケーキが食べたいわ」

わたしはびっくりして奥様のお顔を見つめ、奥様は、ぷっと噴き出された。

「どうしたの、タキちゃん。だから言ったでしょ。楽しんでるだけよ。これから食べようって、話じゃないのよ」

頭の中には、建物に小さなエッフェル塔をくっつけた、銀座六丁目のハイカラな喫茶室「コロンバン」の様子が浮かんだ。すると、なぜだろう、あの、平和で物がいっぱいあったころの都心の思い出が、匂いや音ごと甦ってきた。

思いがつい、口をついて出てきた。

「それでしたら、わたし、資生堂のカリーライスが食べとうございます」

「あら、出たわね。やっぱり、カレーのタキちゃんね」

奥様は急に元気を出されて、手を打って喜ばれた。

「資生堂なら、わたしは、ミートクロケットをいただくわ」

「恭一ぼっちゃんは、どういたしましょう？」

「ぼっちゃんは学校だから、そうね、お土産に、アイスクリームをポットでいただいていきましょう」

資生堂には取っ手のついた青いポットがあって、お持ち帰り用のバニラアイスクリームを入れてくれたものだった。

「アラスカは、旦那様、ごひいきでした」

「東京會舘もよ」

「千疋屋《せんびきや》はいかがでしょう」

「冨士アイス」

「永藤パン」

「洋ものに飽きたから、麻布の姉さんに頼んで、豆源《まめげん》のおとぼけ豆を買ってきてもらおう」

「奥様」

「甘辛でございますか」

「そうよ。甘いものの、辛いものと、交互に食べるのよ。だけど、せっかく麻布から何かもらうなら、わたし、豆よりお稲荷さんがいいわ」

「おつなずし」

「ああ、ほんとに食べたい、ゆずの味」

旦那様が、よしなさいと言われるのも当然だったかもしれない。この遊びは、始めはいいけれども、続けているとつらくなってくる。

しばらく静かに黙った後で、奥様は、お湯呑みを両手で握り、ほうじ茶の残った底を見つめられた。

「わたし、時々、とっても食べたくなるものがあるの。東京のものじゃないのよ。二楽荘のシュウマイ。――ねえ、あなた、板倉さん、覚えてる？」

唐突な質問に、わたしはどう答えたらいいかわからなくて黙った。あれから一年半しか経っていなかったのだから、覚えていないわけはないが、奥様が妙な言い方をされたのも不思議ではなかった。板倉さんのいた東京は遠い日に感じられた。

「戦地から葉書くらい来ないかと思ったけど、いっぺんもなかったわね。そんな余裕もないのでしょうけれど、ご無事でいらっしゃるといいわね」

まだ忘れていらっしゃらないのかと苦い思いがこみ上げて、こっそり横顔を窺《うかが》うと、奥様は意外にも、明るく笑われた。

「あのとき、タキちゃん、ちょっと、怖かったわ」

「あのとき?」

「ええ。板倉さんが、お故郷《くに》に帰られる前の日のことよ」

変わらず笑顔で奥様は続けた。

「わたしを、気遣ってくれたのよねえ。それなのに、わたしったら、少し、突《つ》っ慳貪《けんどん》になっちゃったわねえ。気にしてたのよ、ずっと。話せてよかったわ」

さらりとそれだけおっしゃると、奥様は立ち上がって、縁側のほうへ行かれた。

10

わたしはいったい、何を書こうとしていたのだったか。

胸を抉《えぐ》るような後悔が、こんな年になってもまだ襲ってくる。書いているうちに閉じておいたものが蓋を開けて、幾通りものやり方で責めたててくる。

健史になど、見せなければよかった。もう、見せるのはよそう。

これからまた、隠し場所を考えなければならない。

あの、出版社の女の子は、とうとう何の連絡も寄越さなくなったけれど、いずれにしても何か見せるとしたら、これではなく別のものにしよう。

11

幸せな時間は、早く過ぎてしまう。

お会いしたいと思い続けて、ようやく会うことができても、時間がやってくると、なぜまた、お別れをするためにここまで出てきてしまったのかと、悔やむ気持ちさえ生まれた。

奥様は、また箪笥からお着物をいくつも取り出して、好きなものを持って帰れとおっしゃった。

「いいえ、それはいただけません」

「そんなの、不公平よ。うちだけ、あんなにいただきものをして、お返しもできないなんて、そんなの、ひどいわ」

「それじゃあ、何か、羽織るものをいただいて帰ってもよございますか？　わたしのは、置いて参りますので」

米を縫いこんだ半纏のことを思い出して、奥様は、

「そうね、そうね」

と、うなずいて笑い、奥から濃いグレーの、ウールのコートを取っていらした。

「そんな上等のものは、いただけません」

「ないのよ、ほかに。向こうはまだ雪があるんでしょう？」

奥様は、わたしの首に、毛糸の襟巻きも巻いてくださった。

もっと何か持っていけとおっしゃるので、恭一ぼっちゃんのいらなくなったご本でもあれば、とお願いした。疎開の学童に読ませてやれるからだ。

それで、いまもわたしの手元には、大城のぼるの『火星探険』がある。

中学校に上がったぼっちゃんは、子供用の漫画には興味をなくされたのだそうだ。ぼっちゃんの憧れは、七つ釦《ボタン》の予科練で、勉強嫌いも手伝って、高等学校へ行く気がまるでないのよと、奥様はあきらめたように片頰で笑われた。

「戦争が終わったら、戻ってきて頂戴ね」

門まで見送ってくださった奥様がおっしゃった。

「戦争はいつか、終わるんでしょうか」

本土決戦があることはわかっても、終わるというのが想像できなくて、わたしはぼんやりと奥様にお訊きした。

「そりゃそうよ。始まったものは、いつか終わるわ。いつだか、わからないけど」

「それじゃあ、戻って参ります」

「待ってるわ」

このときも、奥様は泣いたりなさらなかった。

門扉に手をかけて、姿勢よくお立ちになり、華やかな笑みを浮かべて手を振られた。

これから先のことは、どうやって書いたらいいのか、わからない。

予定の夜行で、山形に帰った。

日常は、疎開学童の世話に明け暮れる日々に戻った。

二日後、東京下町の大空襲があった。田舎の新聞でも、「B29、三百機が帝都を盲爆」と報じたが、敵十五機を撃ち落として鎮火したともあったから、どれだけの被害だったのか想像がつきかねた。

翌日だったか、翌々日だったかに、中学入学に備えて帰京した子供が罹災した、亡くなった者もいると、役場が住職に伝えてきた。

追いかけるように、時子奥様から葉書が届いた。

「下町の工場が焼けて、社長さん一家が罹災、故郷に帰られるようです。こちらまでは火も届かず、わたしたちは無事でした。麻布の姉には、義兄の親戚のある山梨へ行く話が持ち上がっています。旦那様は、田無《たなし》あたりまで移って農園でもやるかと言っています。わたしはこの家を離れたくありません。お体、お大事に。かしこ」

と、書いてあった。

この葉書も、いまも大事に持っている。

芋や大根の入った飯を炊いて、しらみだらけの布団を干して、そうしてわたしの日々は続いた。田舎の新聞にも「戦争は山形で勝て――山形をラバウル化せよ！」という社説みたいなものが載って、住職はしきりに感心して寺に貼っていた。

どうにも寺らしくない内容だとは、そのころは考える気力もなかったが、毎日見ていたから、だいたい覚えてしまっている。

「粘りだ。粘りだけが勝敗を決する。敵の最も嫌う長期戦へ是が非でも引きずり込むのだ、本土上陸も何ぞ恐れん。百万県民が一人一殺を誓うとき百万の敵は殲滅《せんめつ》あるのみ、たとえ本土隈《くま》なく戦火に塗《まみ》れようとも最後の勝利は県民が戦いとらんの決意こそ小磯首相の信念をわがものとする我々の態度であろう、今日一日の捨て身のご奉公があればよいのだ。考えず語らず全県民が戦い気狂いとなる。それには時を稼ぐのだ。女も敵を殺せ、侵略には竹槍を取って刺し違えん。飛行機も船も送られないラバウルの勇士らが、自分達の手で勝つと、いまも難攻不落の城を築いている事実を見よう、わが山形をラバウル化せよ！」

べつに、山形だけがこうだったわけではないだろう。

そのころには、日本中が「ラバウル化せよ」みたいなことになっていて、睦子さんの『主婦之華』だって、ページごとに「一人でも多く殺せ！」と、刷ってあった。

12

これから先のことは、どうやって書いたらいいのか、わからない。

ほんとうに、どうしたらいいかわからないのだ。

わたしの毎日は、同じように続いた。

芋や大根の入った飯を炊いて、しらみだらけの布団を干して、

「鈍重なること牛の如き山形人の粘りこそが、我が日本を勝利へ導く」

といった、威張っているんだか卑屈になってるんだかわからない住職の演説にうんざりしながら、子供たちの世話をする日々が続いた。

だいじなことを、何も知らずに、わたしの日々は続いた。

いつのまにか、わたしの毎日は、たいせつなことを追い越した。

三月十日の東京下町大空襲が陸軍記念日だったから、五月二十七日の海軍記念日にも何かあるという人がいたけれど、あのころは、なんやかや噂に満ちていた。

海軍記念日の二日前に、今度は二百五十機のB29が帝都を襲い、宮城にまで投弾があったと、これも新聞で知ったけれど、「三陛下及び賢所は御安泰にわたらせらる」と報じられていて、どこに焼夷弾が降ったのかも、わからなかった。

いちばん身近に恐怖を感じたのは、七月になって、仙台が空襲されたと聞いたときだ。次は山形だと、誰もが思った。

広島の新型爆弾の投下は、ぼんやりと知り、それよりも神町飛行場方面の空が真っ赤に染まった八月九日のことを、よく覚えている。あの爆撃で、わたしが働いていた飛行機工場も、壊されてしまった。十日には、酒田・鶴岡・新庄・楯山《たてやま》がやられ、十三日にまた神町がやられ、県内でも町のほうはもうだめだと、みんなが囁《ささや》きあった。

十五日に、寺のラジオで玉音放送を聴いた。

そのときに何を思ったか、実はよく思い出せないでいる。

ほっとしたと思う。奥様がおっしゃったように、始まったものは、いつかは終わる。

そして、戦争は終わったのだ。

それでもわたしの日々は続いた。

芋や大根の入った飯の量は、さらに少なくなったが、やはりわたしは飯を炊き、布団を干した。子供たちは栄養失調で、痛ましい膨らんだ腹をしていた。

戦争は終わり、田舎にも、進駐軍のジープがやってきた。

けれど、どう書いたらいいのだろう。

それらはみんな、たいせつなことを追い越してしまった後の、日々のことだ。

わたしの毎日は、変わらず続いていて、終戦もあり、ジープも見たのに、奥様の毎日はもうとうの昔に終わっていて、わたしはそれに気づかず過ごしていた。

あの奇妙な交わらない二つの時間を、どんなふうに書いたらいいのかわからないのだ。

わたしは思い出の品を手当たり次第に広げる。

ぼっちゃんの漫画や、奥様のウールのコートや、ワンピースや、家が建った日の記念撮影の写真や、金の縁取りの紅茶茶碗や、たくさんの品に交じって、小さなブリキのジープもある。

それを手の平の上に置いてみる。

そうだ、小さいブリキの、進駐軍のジープの話をしよう。

最終章

小さいおうち

1

バージニア・リー・バートンが、絵本『The Little House』を出版したのは、一九四二年のことで、ちょうど太平洋戦争の始まった翌年にあたる。

日本で、石井桃子訳の『ちいさいおうち』の初版が出たのは、それから十二年も経った、一九五四年のことだ。イタクラ・ショージの書斎に残っていたのは、英語の原書で、見つかった当時はかなり読み込まれていた上に、おそらくは彼自身による、背表紙の修復がなされていたという。彼がその本を、いつどんな形で手に入れたのかは、まったく不明だそうだ。

しかし、キュレーターの説明によれば、イタクラ・ショージが彼自身の不思議な作品『小さいおうち』を制作していたのは、独特のタッチから類推して、一九五〇年代初頭だと考えられているらしい。あきらかに、『The Little House』の構成を模して描かれていることを勘案すると、おそらくかなり早い時期に、彼はその原語のテキストに出会ったのだろう。

イタクラ・ショージは乾いたブラックユーモアを滲ませる作品で知られた昭和の漫画

家で、キャリアの初期には紙芝居を描いていた。ちょうど、『小さいおうち』の制作期にあたり、従って、この奇妙な作品も、紙芝居の形をとっている。けれども、子供用に制作された初期の作品とはまるで趣《おもむき》が違い、商業用に作られたものでないことはあきらかだった。

後半に進むにつれて殺伐としてくる内容は、彼の従軍経験と無縁ではないと、多くの批評家が指摘している。実際は、この紙芝居は、イタクラ・ショージが亡くなるまで封印されていて、一般に知られることはなかったのだが、遺産管理を引き受けた弁護士が、遺言を発表し、それに従って東京都西部の土地が買われ、家が建ち、イタクラ・ショージ記念館がオープンすることになって、キュレーターが雇われ、彼の遺した物が捜索される、といった経緯を経て、発見された。

イタクラ・ショージは人気のある漫画家だったし、作風にはマニアックなファンもついていたから、記念館が建ったときはずいぶんと話題を呼んだ。そして、しばしば噂になったのは、遺言によって建てられた記念館の建物が、『小さいおうち』の洋館と、あまりにも似ていたことだ。それまで知られていなかった初期の紙芝居がにわかに脚光を浴びたのは、彼自身が語ることの少なかった半生と、深く関係しているに違いないと、誰にも思わせたためだろう。

バージニア・リー・バートンの『ちいさいおうち』は、あくまでも家が主人公で、そこに住む人が描かれることはないが、イタクラ・ショージの『小さいおうち』には、三人の人物が登場する。二人の女と、一人の少年だ。家の中に彼らがいるところが描かれるだけで、会話がない。そして、この紙芝居にはナンバーが振られているだけで文章がまったくないので、三人の関係性も不明だ。

少年はどちらかの女の息子なのか、女たちは友人なのか姉妹なのか、それもわからない。少年には父親がいないのか、大人の男の姿はない。

「生前、彼はこの作品について何もコメントしていません。そのために、とても謎の多い作品になってしまっています。それでも私たちは」

と、キュレーターの女性は言った。

「『小さいおうち』を、イタクラ・ショージの最も重要な作品の一つと位置づけるに至りました。彼が生涯かけて描き続けたものの萌芽を、見ることができるからです。刺激的なブラックユーモアに包まれた途方もないイノセンスは、常に彼の作品に見てとれるテーマです。しかし、彼のいくつかの代表作では徹底的に笑い物にされるイノセンスが、どうやらこの初期作品においては、作家によって温かく守られている感じがします。この『小さいおうち』で描かれる赤い屋根の洋館が、イタクラ・ショージが再現したかった建物であるならば、彼の個人的な思い出と深く結びついていると考えて、ほぼ間違いないでしょう」

彼が残した遺言状には、家の詳細なパースが挟まれていたという。また、ステンドグラスに描かれた木と鳥の構図、天井の網代《あじろ》の組み方、二階の部屋に使われているフランス窓など、細部が神経質なまでに描き起こされていて、実際には、その通りに家を再現することは、コストの面でも、技術的なことを考えても至難の業で、イタクラ・ショージが亡くなっているのをよいことに、さまざまな妥協が加えられたらしい。

「家の再建を、彼が生前に試みなかった理由も、ひょっとしたらそこにあるのかもしれないと考えられています」

キュレーターの女性は、静かに眼鏡に手をやった。

「思い出の中の洋館が、けっして再現できないことを、彼はあらかじめ知っていたのではなかったかと」

生涯独身を通したイタクラ・ショージには、少なくはない財産を残す相手がいなかった。遺産は彼の遺した原画や将来の印税も含めて、代表が友人であり、全集の版元でもあるコミック系の小さな出版社に、記念館の開館を条件にして寄贈された。

今年は記念館オープン三周年にあたり、久々に蔵出しされた『小さいおうち』の原画展が開催されている。

「それで、お問い合わせは、どんなご用件でしたっけ?」

キュレーターの女性は、フロアに人がいなくなったのを確認してから、そう尋ねてきた。

彼女は僕の、学生時代のガールフレンドに似ていた。

2

大伯母が亡くなったのは四年も前のことになる。

丈夫で頭もしっかりしていた大伯母だったが、さすがに死期が近づくころには鬱症状に見舞われ、僕は何度も、

「私の心覚えの記をどこにやったのよ」

と、責められた。心覚えの記、という言い回しは、大伯母以外から聞いたことがなく、なんのことを言っているのやら、最初はわからなかったが、小さい字でぐちゃぐちゃ書いては、僕に見せたがったあのノートのことかと、しばらくしてから気がついた。

一時期は押しつけるようにして読ませてくれたあのノートを、ぱったり見せなくなってずいぶん経過していたので、僕はすっかり忘れていた。大伯母の字は読み易いとは言えなかったし、内容も当時の僕にはそれほど面白くなかったし、

「お前が持って行ったんだろう」

と怒られても、ただひたすら心外だった。大伯母は、僕に見つからないように隠した挙句に、しまった場所を忘れてしまったらしい。

最晩年の大伯母は、少しかわいそうだった。

僕は家族の中でいちばん大伯母と仲がよかったが、それでも部屋を訪ねるのは、一週

間に一回あればいいほうで、彼女はほとんど一人きりで過ごしていた。母に言いつけられて、食料を持っていくとか、大伯母に頼まれて電球の交換に行くとか、そんな用事でもなければ、大学生の僕があの部屋に行くことはまずなかった。脚がしっかりしていたころは、ときどき僕ら一家が住む一キロほどの距離を歩いて訪ねてきてくれていたけれど、もうそんな気力もなくなっていたのだろう。一人で、起きたり、寝たりして暮らしていた。

たまに炬燵《こたつ》の中で寝ているのを発見した。そのまま息が止まってやしないかと心配したが、たいていはすやすや寝息を立てていた。

気の毒だったのは、大伯母が、一人で泣いているのを見たときだ。何が高齢の彼女をそんなに責め立てたのだろう、思い出すのは後悔ばっかりなのと、大伯母は顔をぐしゃぐしゃにして泣いていた。ほかにどうにもしようがなかったので、僕は、痩せて丸まった背を不器用に撫でた。すると大伯母はここぞとばかりに大声で泣いた。ほっとくのがいちばんよと、母は言った。優しくすると、泣きやむとこでも泣きやまないのよ。

僕の母はべつに悪い人間ではないけれど、大伯母にちっとも優しくなかった。父は早くに両親を亡くし、大伯母が親代わりだったという経緯があるので、母にとっては姑のようなもので、家事全般におそろしいまでの自信を持つ、夫の伯母にあたるこの女性が、若い時はかなり疎《うと》ましかったらしい。

どうして神様は大伯母に、やすらかな最晩年を与えなかったのだろう。難しいところも、ちょっと意地の悪いところもあったけれど、幸せな最期を迎える権利はあったはずだ。

僕らが発見したとき、大伯母は台所の床に倒れていて、警察と医者がやってきて、亡くなったのは二日前だと言った。病院で亡くなった場合を除いて、こういうケースには必ず警察が来るのだそうだ。大伯母を恨んでいた人はいなかったかとか、財産はどんなふうに分けられる予定なのかとか、実に形式的なことですがと断りながら、警察が聞いて行った。

苦しそうな顔をしていなかったことだけが、ほんの少しの慰めになった。少なくとも、後悔ばっかりと、泣きながら亡くなったのではないだろう。そう、僕は自分を納得させようとした。もっと早く見舞っていればよかったと悔やんだけれど、寿命だったのよ、と母が言い、もちろん、誰もそれに反論はしなかった。大伯母自身がしょっちゅう、「生き過ぎた」と言っていたのだし。

大伯母が死んだ後、小さなマンションに残された荷物はあらかた処分された。例のノートは、米櫃《こめびつ》の奥から出てきた。

「健史にやってください」

と、大伯母の字でメモがあったから、僕がもらうことになった。

しかし、読んで感想を言ってあげる相手はもういないのだし、なんだか辛気《しんき》くさいものをあずかった気がして、目を通さずに一年ほど経過した。

僕自身が、絵本作家志望だった当時の彼女とも別れ、大学を卒業し、一人、就職のために上京することになって、部屋の整理を始めたときに、ようやくそれを読むことになった。荷作りが面倒くさかったのと、東京、東京と、やたらに書いてあるから、どこかでひっかかって読む気になったのだろう。

大伯母が亡くなる前に、続きを催促しなかったことを、どうやら僕は悔いているらしい。それにしても、大伯母は、いつごろから、僕にノートを隠すようになったのだったか。そしてそれは、いったいなんのためなのか。ほんとうのところは、僕にもわからない。

僕はいつも、失くしたもののことばかり悔いている。あれやこれやと、後悔ばかりが胸をよぎる。ひょっとしたら、大伯母からどういう経緯でか、遺伝した性質なのだろう。

大伯母の「心覚えの記」は、中途半端に終わっていた。

小さいブリキの、進駐軍のジープの話をしよう。

そう書かれた一行を最後に、尻切れとんぼのままだ。書く気がなくなったのか、書けなかったのか、死が時間を奪ったのか。

僕は、「小さいブリキのジープの話」を、まるで知らなかった。

「小さいブリキのジープの話？」

おばあちゃんの、ブリキのジープの話を知らないかと訊くと、父は新聞から目を上げて、少し困った顔をした。

なぜかはわからないけれど、どうしてもそれを探し当てなきゃならない気がすると言ったら、父は、何か知っているかもしれないと、軍治《ぐんじ》おじさんの名を挙げた。軍治おじさんは、父の従兄で、大伯母の姉の息子にあたり、戦時中と戦後の一時期はいっしょに暮らしていたはずだから、話を聞いているかもしれないというのだった。

「あのころをいっしょに過ごした人たちは仲がいいからね。俺みたいに、戦後生まれは、あんな濃密な時間を過ごしていない」

と、父は言った。

軍治おじさんはすでに七十を過ぎて、蔵前《くらまえ》のマンションに奥さんと二人で住んでいた。法事でもなければ挨拶もしない相手を訪ねるのは気が引けたが、いま聞いておかないと、永遠に後悔しそうで、僕は上京するとすぐに軍治おじさんを訪ねて行った。

智《さとし》のとこの次男坊かと、田舎出の人らしく歓迎してくれた軍治おじさんは、

「タキばあちゃんは、死なねえんじゃないかと思ってたけどな」

と、開口一番、笑わせてくれた。

「ですよね」

と、いちおう相槌を打ったものの、晩年をよく知っている身としては、いずれそんな時が来ることはわかっていた。大伯母はいつごろからか、極端に人と会わなくなった。いつまでも元気で威勢のいい「タキばあちゃん」のイメージのまま、人の心に残っていたかったのかもしれない。小さく縮んでよろよろする大伯母は、彼女のセルフイメージをひょっとしたら傷つけていたのだろうか。最晩年は、あまり鏡を見なくなった。

「『小さいブリキの、進駐軍のジープの話をしよう』ってところで、終わってるんです。だからどうしても続きが知りたくて。父に訊いたら、おじさんなら知ってるんじゃないかって」

「小さいジープ？　なんだか、聞いたことがあるような気がするな。なんだっけな」

軍治おじさんは、何か思い出そうとするときの癖なのか、耳の穴に指を突っ込んで、しきりに掻いた。

「あれじゃないの？　小菅《こすげ》のジープの話じゃないの？」

後ろから、景子《けいこ》おばさんが口を挟んだ。

「ああ。あれだ。小菅のジープの話だ。あんた、よく覚えてるね」

「だって、何度も聞いたじゃない。私たち、結婚したころ」

軍治おじさんの話を景子おばさんが修正しながら話してくれた『小菅のジープの話』は、こんな内容だった。たしかにそれは、大伯母が最後に書こうとしていた挿話に思えた。書きたくても、もしかしたらもう気力がなくて、大伯母には書けなかったのかもしれない。

3

僕の大伯母、布宮《ぬのみや》タキが、戦後初めて東京に出たのは、昭和二十一年の正月だった。

学童疎開は、その前年の十一月に終わり、タキは子供たちを田舎の駅で見送って、実家に戻った。そのとき山形の田舎は恐るべき大所帯で、タキのきょうだいが家族を連れて移り住んでいた。軍治おじさんはまだ小学生、つまり、国民学校の生徒で、復員した伯父と伯母の間にすぐ子供ができたりして、昭和二十年、二十一年くらいは、たいへんだったらしい。

どうしても、東京の様子が知りたかったのだろう、タキは闇物資を買い求める人でごった返す汽車に乗って、雪深い山形を出て都会へ向かった。あの大伯母のことだから、このときもごっそり芋だの米だのを持って行ったに違いない。

東京はすっかり焼け野原になっていた。タキが前年の三月に見たよりも、もっとひどいことになっていただろう。なにしろ、タキが住んでいた東京郊外の西北エリアも、五月二十五日の山の手大空襲ですっかり焼き払われてしまったのだ。

東京郊外の西北エリア、と聞くと、なんだか多摩川《たまがわ》のあたりに思えるけれど、当時の郊外はもっとずっと都心に近く、彼女が私鉄と呼んでいたのは新宿から西へ延びる鉄道の一つで、赤屋根の洋館があったのは、新宿からそう遠くない、いまでは高級住宅地に数えられている地区だ。理由はわからないが、彼女が地名も駅名も明かしていないので、そして軍治おじさんもそれがどこなのか正確には知らないと言うので、僕はその地を訪ねることができなかった。

それでも、だいたいこのあたりと聞かされた場所へ行ってみれば、そこには広い幹線道路が走り、これから先も再開発と整備が予定されている地区とのことだった。地元の図書館で調べた情報によれば、空襲で建物が一切なくなった際に、大規模な区画整理や道路整備が行われたので、その土地はかつての風貌をまったくとどめていないらしい。ともかく、昭和二十一年に布宮タキはその地を訪ねた。彼女はそれがどこにあるのか、よく知っていたから、あたりがどんなに様変わりしていても、訪ねあてることができたのだろうと思う。

かつてあったものが何もなくなった場所を歩くのは、どんな気持ちがしたのだろうか。

僕は、聞いてみたかったたくさんのことを、まるで聞けずにいることに気づく。

おばちゃん、がっかりして座り込んでね、と、軍治おじさんが話してくれた。

しばらく動けずにいたらしいよ。すっかり更地になってたんだろう。それを話すと泣き出すんで、あんまり聞きたい話じゃなかったが。

大伯母は、かつて赤屋根の家があった場所の、焼け残された石造りのポーチに座り込んだ。そのままぼんやりと時間が流れる。持ってきた芋だの米だのは、受け取り手がなかった。

それで、誰だったか、男だな、男が一人、話しかけてくるんだよ。

男の人。中年の。それが、ほら、ぼっちゃんの。

そうだ、ぼっちゃんの友達のおやっさんで。

刑務所から出たばっかりで。

ばっかりじゃないんだ。出て、それから京都行って、それで買ってくるんだろ、小菅のジープを。

軍治おじさんと景子おばさんが、そんなやりとりをした。

つまり、上京して、平井邸を訪ね、焼け野原に呆然として、石造りのポーチに座っていたタキに、男が一人話しかけてくるのだ。その男は、僕が推測する限りでは、石川清太の父親だ。昭和十六年にスパイ容疑で逮捕されて、そのまま戦後まで拘留されていた人物だと思われる。

男はタキを見かけて、懐かしそうに声をかける。

あなたはもしや、平井さんのところの、女中さんじゃあないですか？

タキは男に見覚えがあった。それは、恭一ぼっちゃんが小さいころから親しくしていて、けれども父親の逮捕以後は疎遠になってしまった、「セイちゃん」のお父さんだったからだ。

「セイちゃん」のお父さんは、昭和十六年に投獄され、二十年まで獄中にいた。だから、その四年間に、自分の息子とその友達の間に起こったことを、まるで知らなかったのだそうだ。

男は、かつて住んでいた一帯が焼け野原になっていたので、京都にいる親戚にひとまず身を寄せた。そして、なじみのない古都の百貨店で、男は小さなジープを見つける。

そのころ日本中を走り回っていた、カーキ色に星のマークをつけた進駐軍のジープの見事なミニチュアで、懐かしいブリキ製の玩具だった。小菅製作所という玩具会社が、戦後すぐに売り出したもので、材料は米兵が捨てたコカ・コーラの空き缶やなにかだったらしい。

「息子が喜ぶだろうと思いましてね」

と、男は言った。

「恭ちゃんちには、ブリキの玩具がたくさんある、僕にも買っておくれよと、息子がねだったことを思い出しましてね」

男は、当時、飛ぶように売れていた、小菅製作所のジープを一つ買い、タキと同じように年が明けてから東京へ戻って、妻子の行方を捜した。

一つだけ男が忘れていたのは、息子がもう九歳ではなくて十四歳だということだった。ブリキの自動車で遊ぶ年齢はとっくに過ぎていた。それでも、彼の頭の中では、息子は九歳のままだった。それだけの長い間、彼は息子に会わずに過ごしたのだった。

彼が知らなければならなかった事実は、実際、もっと苛酷だった。東京に出て、あらゆる伝手をあたり、彼が捜し当てたのは、妻と息子が五月に被災して亡くなったことだった。

焼け跡をぶらぶらとあてどもなく歩き、彼は石造りのポーチの残骸を見つける。いつだったか、息子をそこに迎えに行ったことがあった。何度か、送り届けたこともあった。まだ息子が小さくて、一人ではどこにも行けなかったころだ。石造りのポーチを持つ赤い屋根の洋館に住んでいた男の子は、彼の幼い息子が初めて持った親友だった。

男は、ポーチに腰かけている、少し草臥《くたび》れた風情の女に出会う。声をかける。

「あなたはもしや、平井さんのところの、女中さんじゃあないですか?」

そしてひとくさり、自分の話をした後で、タキの掌に小さなブリキのジープを載せる。

「恭一くんにお会いになることがあったら、これを渡してあげてください。もうこんなもので遊ぶ年じゃないかもしれないが、清太の思い出に持っていてやってください。息子はときどき手紙をくれた。いつも恭一くんと達吉くんと、仲良くしている様子が書いてありました」

大伯母の手を大きな両手で包むようにして、男は玩具のジープを握らせる。

石川清太の父親は、どこの機関のスパイでもなかったそうだ。

勤め先の印刷工場で、ある日突然、非合法活動容疑で逮捕された。何度か口を利いたことのある、気のいい同僚からあずかった荷物の中に、証拠が入っていたという理由だったが、彼は同僚から何かをあずかった覚えすらなかった。同僚が地下活動をしていることも知らなかった。けれども、事実などまったく用をなさない瞬間が、歴史のあちこちに存在する。拷問でへし折られた左指の骨と引き換えに、彼は右手で告白書に署名した。

石川清太の父親に促されて、タキは駅の反対側の、奇跡的に焼け残った地区に住む知人を訪ねた。空襲の後に、焼けた一帯を訪ね歩いたというその人物は、

「残念なことでした」

と前置きをして、平井夫妻が防空壕で亡くなったことを、タキに告げたのだった。

平井家の防空壕は、赤屋根の家の持つ庭の、椿の木の下にあった。

新しもの好きの当主が、まだ本土空襲などほど遠い雰囲気だったころに、まるで離れのような感覚で造った、比較的広い壕だった。

防空壕は危険だとご存知なかったのでしょうかと、その知人は言ったそうだ。入ったきり、出られなくなった人が大勢いたのですよと。

このようにして、大伯母は奥様と旦那様の身に起こったことを知った。

大伯母の手に、小菅のジープだけが残された。

「平井夫妻が亡くなったってことは、恭一っていう男の子は、生きていたってこと？」

僕は軍治おじさんに尋ねてみた。

「それがよくわかんねえんだ」

と、軍治おじさんは言う。

「ともかく子供の遺体はなかったらしいんだな。それでタキばあちゃんは、まあ、まだ、ばあちゃんじゃなかったが、伝手を捜して調べたらしいんだが。俺たち、血のつながった甥っ子、姪っ子より、よっぽどかわいがってたんだべ。それで、どこだったかなあ、西のほうの、男の子のじいさん、ばあさんのところに、行ったとか行かねえとか」

「会ったって話は、聞かないわね。小菅のジープで、泣くから。わーんと泣いちゃうから。そこでだいたい、話が終わっちゃうし」

「祖父母が福井に疎開したと書いてありましたが、そこに行ったんでしょうか」

「わからねえなあ」

大伯母が、あれだけ大事にしていたぼっちゃんを訪ねて行かなかったのが、僕には不思議に感じられたが、軍治おじさんは、あっさりと、

「奉公人が、そこまでするのは、おかしいと思ったんだろ」

と言うのだった。

「それにあんた、日本中がひっくり返ってて、その日の食べ物にも困るようなありさまだったんだもの。おばあちゃんだって、山形帰って、うちの人らとみんなで畑なんか作って、どうにかこうにかやって、それから春日部へ出て、家政婦始めて、それからあたのとこのお父さん兄弟を引き取って育てて、たいへんだったんだもの。私は、そっちの話のほうが、よっぽど書いといてもらいたい内容だと思うけど」

景子おばさんは、苦笑気味に横から口を挟んだ。

そういえば、大伯母がもう一度山形を離れてから住みついたのは春日部だった。昔から親類が住んでいて、なじみのある土地だったからだろう。

なぜだか、というか、理由ははっきりしているようにも思うけれども、東京にはあまり出たがらず、引退して茨城に引っ込むまでは、東武線沿線の家庭で働いていた。

これが、僕が軍治おじさんから聞き出した、「小さいブリキのジープの話」だ。

4

僕は、大伯母が「思ひ出」と、ちまちました字で書いた紙を貼り付けて大事にしていた洋菓子の空き缶の中から、小さいブリキのジープを見つけた。

缶の中には、それればかりではなくて、モノクロの写真が二枚、入っていた。一枚は、建ったばかりの家をバックに、平井家の人々と大伯母の四人が写っているもので、もう一枚は、おそらく皇紀二千六百年祝賀記念に、銀座の写真館で撮った、平井家の三人の写真だ。

大伯母は、豆タンクみたいにぷっくりした健康的な若い娘で、平井時子は女優さんみたいに綺麗だった。平井恭一はくりっとした目のかわいい男の子で、平井常務は眼鏡の度がきついせいか、びっくりしたような表情をしている。

戦時中にやりとりした葉書の類も、整理整頓に長《た》けた大伯母らしく差出人ごとにきっちりとゴムで束ねられ、しかもそれぞれが日付順に並んでいた。一通、裏に「平井時子」とあるだけで、宛名のない手紙があり、それだけが未開封だった。美しい和紙の封書だったが、時が経ってしまったために、左の端が滲んだように黄ばんでいた。

僕はもしかしたら、そこで満足すべきだったのかもしれない。

「小さいブリキのジープの話」さえ聞ければ、大伯母の物語はおしまいになる。彼女がそれ以上続きを書こうとしていたとは思えない。最初から赤い屋根の家の話だったのだから、家が失われればそれでおしまいだ。

それでもやっぱり僕は気になった。恭一ぼっちゃんはどうしているのだろうとか、睦子さんは生きていたのだろうかとか、だいいち、出征した板倉さんは帰って来たのだろうかとか、そんなことのすべてがだ。

もっとも調べやすいのは睦子さんだった。

睦子さん、としか記述がないので、名字を調べるために僕は国会図書館に行き、ぼろぼろの『主婦之華』を閲覧して、ヘレン・ケラー来日の記事を探した。

「見えぬ、聞こえぬ、話せぬの三重苦を負ったケラー女史が、尋常ならざる努力の末に得た強靭なる博愛の精神、非常時日本の婦女子の学ぶべきところ多き偉業の数々」

と、おそろしく記憶力のいい大伯母が引用してみせたのと、かなり似た、ぶち上げるような調子の記事の書き手は、松岡《まつおか》睦子という人物だった。

松岡睦子の記事は、終戦の年のひどく薄い『主婦之華』でも、読むことができる。

「野獣のごときアメリカ女に、大和撫子の魂の真なる美しさ、強さが、負けてなるものか」

といったもので、読んでいるとたしかに、山形の新聞記事に通じる悲惨さが漂ってくる。

『主婦之華』は、終戦の年の秋に合併号が出ただけで休みなく発売され、ＧＨＱの検閲が続いた間は、英語併記の表紙の号を出し、その後また女の人の顔表紙の人気雑誌として復活した。

　松岡睦子は過去を反省して民主主義の闘士となり、果敢に新思想を説くジャーナリストとなった。

　それから彼女はフリーランサーの家事評論家として七〇年代の初めまで活躍した。当時勃興したウーマン・リブには、さすがについていけなかったらしく、「大和撫子の美風が失われていくのを嘆きます」と書いているから、結局、彼女の理想は「大和撫子」で、「平井時子」であり続けたのだろうか。ウィキペディアには彼女の項目があって、一九七六年に逝去したと書かれている。

　睦子さんまでたどり着いて、僕は完全に行き止まりにぶつかった。だいいち社会人としての仕事が始まった。たいして大きくない電子機器部品の会社での経理の仕事だったのだが、覚えることがたくさんあって、それどころじゃなくなってしまったのだ。

　それに、僕自身はとくに、アートに関心があるわけでもなかったから、イタクラ・ショージ記念館のオープンも、まったく知らなかった。知らないまま三年経ってしまった。ほんとうに偶然、僕がその記念館の存在を知ったのは、ある日、本屋で知り合いの名前を見つけたことによる。実は、元彼女の名前だ。

　彼女はもともと運命的に、大伯母と関係があった。

　といったら、大げさかもしれないが、大伯母から借り出したとても古い『みづゑ』という雑誌がきっかけで、僕たちはつきあうようになった。昭和十五年の、紀元二千六百年奉祝美術展覧会の特集号だ。

有名な画家ばかりが絵を寄せているのを見て、

「戦争画じゃないのね」

と言った彼女は、いつもほんわりしたベージュや若草色の服を着て、細い茶色の髪をゆるく一つに束ねていた。そしてしょっちゅう、絵本の話をしていた。モーリス・センダックとか、マリー・ホール・エッツとか、ロバート・マックロスキーといった絵本作家の名前を僕が覚えたのは、彼女が教え込んだからだ。

「絵本作家になるのが夢なの」

毎日聞かされていたのに、在学中にせっせと描きためた作品を出版社に持ち込んで、ほんとうに絵本作家になってしまったときは、冗談抜きに驚いた。

「なんでいまさら驚くの」

と言いながら、彼女は一足先に東京へ行く支度を始めた。

せめて数ヶ月後の卒業を待てないのかと言い募る僕に、彼女はあきらかにがっかりしたのと怒りと、その両方を茶色の目に浮かべた。

もちろん卒業したら追いかけるつもりだった。就職先も東京に決まった。

でも、いろいろなことがうまくいかなくなった。たぶん、よくあることなんだろう。

そうして三年が経過し、いまだにどこかでひきずってはいるものの、彼女のことしか考えられない日々からは卒業したと思っていたころに、勤務先近くにオープンした大型書店の雑誌棚で、懐かしい名前を発見したというわけだ。

それは季刊で出ている《PUCK》という名の絵本雑誌の「バージニア・リー・バートン特集」だった。

バージニア・リー・バートンも、彼女の好きな絵本作家の一人だったから、僕でも名前を知っていた。『せいめいのれきし』という不思議な科学本を、彼女は誕生日にプレゼントしてくれた。彼女のプレゼントはいつも絵本つきで、セーターが本を抱いていたりしたものだった。

雑誌の中で、彼女は何人かの絵本作家に交じって、インタビューを受けていた。「わたしもバージニア・リー・バートンで育った」という記事だった。少しだけ逡巡《しゅんじゅん》して、それから僕はその雑誌を買った。彼女は昔と同じように、若草色の服を着ていた。彼女はあのときの彼女そのままだったが、どう見ても絵本作家であって、僕の彼女には見えなかった。たぶん、彼女と過ごした二年間は、奇跡みたいなものだったんだろう。

そういうわけで、僕がその雑誌の特集記事中の、「イタクラ・ショージの『小さいおうち』に魅せられて」という随筆と、イタクラ・ショージ記念館の写真に出くわしたのは、ほんとうに偶然の積み重なりだ。

でも、あらゆることはちゃんとつながっていて、いまになると、大伯母は、こうなることを知ってたんじゃないかとまで思えてくる。

「イタクラ・ショージの『小さいおうち』に魅せられて」は、イタクラ・ショージ記念館の女性キュレーターによる寄稿だった。巻頭のカラーグラビアで、ページの上四分の三が写真、下四分の一のスペースが随筆という構成で、八ページもの誌面が割かれ、ずいぶん大きな写真がいくつも掲載されていた。

その家を見ていると、なんだか懐かしかった。よく知っている家のような気がしたのだ。

しばらく見ているうちに、僕は気がついた。その家を、見たことがあるということに。

僕の田舎は茨城で、二時間もあれば東京と行き来できる距離だから、週末に帰って押し入れにつっこんでおいた大伯母の宝箱を探した。大伯母が大切にしていた、新築の家の写真。ポーチの広さ、玄関のたたずまい、屋根瓦の形、窓、それは雑誌の写真と双子のように似ていて、違うのはステンドグラスの模様くらいだ。しいて言えば模様も違わないのだが、あきらかに制作者が違うために、あまり似ていないのだった。

ミステリーを読んでいるようだった。

頭の中で、一個一個の点が線でつながり始めた。

イタクラ・ショージは、あきらかに板倉正治だった。

5

〈イタクラ・ショージの『小さいおうち』に魅せられて〉


イタクラ・ショージは、おもに昭和三十年代を中心に精力的に作品を発表した漫画家の一人で、代表作に『賀茂ナスとカニみそ』、『ガンボミックス』シリーズ、『暗いうちから起き出して』などがあります。

独特の作風には常にコアなファンがついていますが、昭和四十年代にテレビアニメ化された『ガンボミックス』は、この作者にしてはマイルドな作品でもあり、比較的よく知られています。

イタクラ・ショージは昭和二十二年ごろから、紙芝居作家として活動を始めました。しかし、そのころの作品はほとんど残っていません。昭和三十年代の初め、世田谷区駒《こま》沢《ざわ》に住んでいたころに、寝たばこから火事を出して、手元にあった作品の多くを焼いてしまったのだそうです。初期の紙芝居は、もともと数が限られている上に、散逸し、また、繰り返し使用されているために摩耗して棄てられてしまった場合も多いのです。

ですから、イタクラ・ショージが最晩年を暮らした北区東十条《ひがしじゅうじょう》の自宅の、北側に面した半地下のアトリエで、まったく無傷の『小さいおうち』を見つけたときは、ほんとうにびっくりしました。記念館の建築が決まり、イタクラ本人の手で描かれた精密なパースをもとに図面が引かれ、いざ着工というころでした。昭和二十七年八月二日の新聞紙に包まれていたので、描かれたのはそれ以前と考えられます。

『小さいおうち』は、ワンセット、十六枚の紙芝居ですが、イタクラ・ショージが直接手で描いた原画です。記念館に所蔵されているオリジナル以外に、コピーは存在しないと思われます。どうやら、商業的な目的で描いたものではなく、個人の思い出のためにだけ、ひっそりと描かれたようなのです。この紙芝居にはストーリーがついていません。しかし、サイレントムービーのように、絵を目で追っていけば物語がないわけではありません。

個人的な思い出のため、と考えられるのは、実はこの『小さいおうち』が、イタクラ・ショージ記念館の建物と非常によく似ているからなのです。

『小さいおうち』は紙芝居としても少し特殊で、長方形の絵の中央に、丸囲みで家の様子が描かれています。少し離れて見ると、ちょうど日の丸のような輪郭が浮かびます。丸の中に、家でのワンシーンがあるのですが、玄関、庭、茶の間、応接間、縁側、ポーチなどで繰り広げられる日常が、驚くほど詳細に切り取られています。その一つ一つが、イタクラ・ショージが描いた家のパースに、そっくりなのです。違うのは、パースが写実的で無個性なのに対し、紙芝居はあきらかにイタクラ・ショージの初期のスタイルを持っていることだけです。

＊

そして、『小さいおうち』には、実は物語が、二つあります。丸で囲まれた世界と、丸の外側の世界が、交わらずに同時進行で語られます。

この不思議な形式じたいも、非常に特徴的かつ前衛的とすら言えるもので、昭和三十年に描かれた代表作の一つ『暗いうちから起き出して』に、似たような形式、いわゆる漫画内漫画、入れ子構造のようなものが見てとれます。キャリアのごく早いうちから、イタクラ・ショージがこうした入れ子構造を自作に取り入れていたことも、たいへん興味深い発見でした。

丸囲みの世界には、登場人物が三人います。若い、姉妹のような女が二人と、どちらかの息子か、弟のようにも見える男の子が一人です。女たちはたいてい家事をしていて、男の子は紙飛行機や玩具で遊んでいます。

十六枚の絵の中で、とくに劇的な物語が進行するわけではありません。日常がスケッチされていると考えた方がよさそうです。丸囲みの外が暴風雨で、丸の中の三人がずぶぬれでふるえている、少しコミカルな一枚があります。この一枚だけに、丸の内と外にあきらかな関係が見てとれます。その他の絵には、とくに関係性が認められません。しかし、この一枚があるために、丸囲みの世界と、その外の世界は、「内＝守られた家の中」と「外＝家を取り囲む状況」であることがわかるのです。

明かされないのは、この女二人の関係で、友達のようにも、姉妹のようにも、恋人同士のようにすら見えます。

最後の一枚などは、男の子が一人外で遊んでいるのに対し、小窓からそれを見ている女二人は頭を互いに近づけて、手を握り合っています。この一枚は、外側が一面黒で塗りつぶされているので、カメラのレンズが丸く絞り込まれていく、古いモノクロ映画の終わりの画面を思わせます。

また、この最後の一枚にだけ、裏に「sacred/secured」と、英語の走り書きがあります。「聖なるもの／守られたもの」という意味でしょうか。これが、この連作全体のテーマとも考えられています。

内側の世界が静かな、動きの少ない日常であるのに対して、丸囲みの外は劇的な変化を見せます。ここで、十六枚それぞれの背景を挙げてみましょう。

①　穏やかな春の様子
②　夏の海岸の風景
③　暴風雨
④　銀座の街並みを冬支度で歩く人々
⑤　野菜と果物
⑥　さまざまな動物たち。おもに犬たち

⑦　グラマンとB29
⑧　ジャングル
⑨　ジャングル
⑩　さらにジャングル
⑪　毒キノコとそこここに散る人間の体の部位
⑫　ジャングルの中の焚火の跡と焼かれた人間の腕
⑬　頭蓋骨、その他の骨
⑭　顔のない兵士たちの行軍
⑮　群れをなす猛禽類
⑯　ブラックアウト

イタクラ・ショージは昭和十八年の応召後すぐに出征、ニューギニア戦線に派兵され、二十年秋に復員しました。ジャングルの風景とその後の描写は、あきらかに彼の軍隊体験を下敷きにしていると考えられます。

しかし、イタクラ・ショージは自分の軍隊生活について、生前ほとんど語りませんでした。

ですから、その意味でも『小さいおうち』は、貴重な作品です。

＊

さて、その『小さいおうち』の舞台となり、イタクラ・ショージ記念館のモデルでもある赤い屋根の和洋折衷館に住む人々とは、いったい何者だったのでしょう。最後にそれを考えてみたいと思います。

イタクラ・ショージの後期の代表的な短編集『賀茂ナスとカニみそ』に、一編の不思議な物語が収録されています。「坂の上の家の庭の金木犀の香り」と題されていて、しつこくならぶ「の」の字のそれぞれから、登場人物が顔を出す扉が印象的です。

坂の上には未亡人が住んでいて、庭には金木犀が植えられています。「の」から顔を出す登場人物たちは、みな金木犀の香りに引き寄せられるようにその家に入って行っては、裏口から動物に変身して出て行くのです。未亡人と動物たちの間に交わされる会話がたいへんシュールで、独特の味わいを残します。

この未亡人の家が、実は、『小さいおうち』または、イタクラ・ショージ記念館のためのパースと、非常によく似ていて、現在では、同じ家をモデルにしたと見做《みな》されています。

登場人物の一人は男性漫画家で、あきらかに未亡人に恋をしています。

それが、イタクラ本人の過去とリンクするかどうかについては、実際のところはたしかめられていません。ただし、イタクラの友人で、記念館の館長でもある、櫂林堂《かいりんどう》コミックス社長、藤崎敬三《ふじさきけいぞう》氏は、赤屋根の家とそこに住んでいた女性への、イタクラの特別な思いを認めています。

「彼が独身を通した理由は二つあります」と、美術雑誌《月と光》のインタビューに応じて藤崎社長は答えています。

「坂の上の家の未亡人は、実在の人物をモデルにしたと語っていたことがあります。まさか、その未亡人のために結婚しなかったんじゃないだろうねと、こっちは半分からかうつもりで言ったのに、ああまあそうだなと、こう答えたんですよ、彼は。しかし、こちらがしつこく聞きだしたら、はぐらかしてしまったので、詳しいことはわかりません。

独り身であり続けたもっとずっと大きな理由は、彼の軍隊経験にあるのではないかと私は思っています。何かの折に彼は、自分は家庭を持つのに相応《ふさわ》しくない人間だから、と言ったことがありました。作品の中にぬるりと顔を出す薄気味の悪い狂気や、彼のブラックユーモアを常に覆っている屍臭のようなものについて、話していたときでした。

今回、彼の家から発見された『小さいおうち』を見て、私はほぼ確信しています。彼は出征中に、何か非常に強い、敢えて言えば人間性を脅かされるような、体験をしたのだと思います。彼は生涯、作品の中にそれを投影し続けました。そしてそれはおそらく、彼が家庭を築くことなく人生を送ったことと、決して無縁ではないのです」

引用が長くなりましたが、イタクラ・ショージがずば抜けた芸術性やストーリーテリングの巧みさを持ちながら、生涯カルト作家であり続けた理由は、彼の作品から滲み出す強烈な暗さと刺すようなブラックユーモアが、一般読者の感興を殺《そ》いでしまうからです。その特異な狂気が、戦争体験から来るものではないかとは、以前から指摘されてきたのですが、『小さいおうち』ほどストレートにそれを示す作品は他にないので、その意味でも非常に重要なのです。

これほどはっきりと、イタクラ・ショージの体験が反映されているにも拘《かか》わらず、他の作品と大きく違う点は、彼がこの丸囲みの中の不思議な三人を最初から最後までまったく傷つけようとしていないことです。

多くの作品の中で、彼はしばしばイノセンスを槍玉に挙げ、徹底的にからかい、笑い物にし、傷つけます。やはり『賀茂ナスとカニみそ』に収録されている「方向音痴」という作品を例に挙げましょう。タケルくんという無垢な少年が、鍵を見つけ扉を開けながら冒険をする、いわゆるロールプレイングの原型的な物語です。このタケルくんは絶望的に方向音痴で、かならず間違った鍵を選択してしまうので、これでもか、これでもかとひどい目に遭ってしまいます。

途中までは、その悲惨さに胸を痛めながら読み進んでいく読者も、常軌を逸するほど馬鹿げた選択をし、地獄ばかりをひた走るタケルくんを見ているうちに、同情の感覚が完全に麻痺してきて、どうしても笑わずにはいられなくなってしまうのです。

タケルくんがとうとう手足を失い、間違った指示に従って自らを《人間ゴムまり》と化し、まったく行ってはならない方向に向かって、果敢に転がって行くラストまで来ると、引き攣《つ》った笑いに完全に打ちのめされて、読者はついにお腹の皮を捩《よ》じらされることになります。カルト作家、イタクラ・ショージの本領発揮、後続する世代の多くの漫画家、映画作家、小説家が、イタクラ作品でベスト1に挙げているものです。

イノセンスが、傷つけられずに「聖なるもの／守られたもの」として描かれるのは、唯一、『小さいおうち』の丸囲みの中の人物たちだけなのです。

『小さいおうち』の建物が、「坂の上の家の庭の金木犀の香り」の家とよく似ている以上、「坂の上の家」の未亡人と、『小さいおうち』の二人の女のどちらか（あるいは両方）が、同じ人物をモデルに持つと思っていいでしょう。

『小さいおうち』の丸囲みの絵の中に、彼が生涯守り続けたかったものが描かれたと考えるのは、少しセンチメンタルにすぎるでしょうか。

6

「それで、お問い合わせは、どんなご用件でしたっけ？」

イタクラ・ショージ記念館のキュレーターの女性が言った。長い柔らかそうな髪を、後ろでひと束に結んでいて、少し変わった形の、うぐいす色の服を着ていた。どこか雰囲気が、僕の別れた彼女に似ている。

《PUCK》の「バージニア・リー・バートン特集」を見てすぐに、僕はイタクラ・ショージ記念館に出かけて行ったのだった。西武線の先にある記念館は、おそらくもともとあった場所と比べると、相当、西に寄った、多摩地区に建てられていた。

受付で僕は、あの記事を書いた女性と話がしたいと頼んだ。受付の女性は少しうさんくさげに僕を見て、それでもどうやら取り次いでくれたらしい。グループの見学者があって、いま説明中なので、それが終わったらお話を伺うと言っていますと、真面目そうな受付の女性が言ったので、僕もこっそりグループ見学者に交じって、彼女の説明を聞いたのだった。

話を聞いているうちに、気が変わった。持参した写真も、大伯母の「心覚えの記」も、すっかり見せる気がなくなってしまった。

イタクラ・ショージ記念館の建物が、大伯母の愛した赤い屋根の家であることは明らかだった。でも、それが研究者たちによって分析され、大伯母の写真が記念館に置かれ、平井時子と板倉正治の恋が明らかにされ、それを団体の観光客がこぞって知ることに、なんの意味があるだろう。

平井時子が大伯母の「奥様」ではなくなり、「イタクラ・ショージのミューズ」として人々に記憶されるようになることに、なんの意味があるだろう。

それが美術史上の、あるいはカルト漫画界においての、画期的な発見であったとしても、僕はそんなことに手を貸す気にはなれなかった。

しかし、わざわざ「話がしたい」と出かけて行って、「気が変わったから話したくない」と帰るわけにはいかない。僕はからっぽの頭の底をこするようにして質問をひねり出した。

「『小さいおうち』が『ちいさいおうち』の影響で描かれたって、なぜわかるんですか? たしかにタイトルはそっくりだけど、石井桃子の翻訳が出るのは、イタクラ・ショージが『小さいおうち』を描くより後みたいですね。真ん中に家があって、周りに状況があるっていっても、なんだかすごく違うように見えます。バージニア・リー・バートンの家は、いつも同じ位置に同じ様子で建っていて、イタクラ・ショージの方は、違う場所、違うシーン、しかも人物が入る。周囲の描かれ方も、ずっと抽象的です。どうして、『The Little House』の構成を下敷きにしたとわかったんですか?」

キュレーターの女性は少しびっくりしたように黙って、それから、

「わかりました。最初の説明の時、いらっしゃらなかったんでしたね」

と言って、急に口に手を当てて、くすっと笑った。

「ごめんなさい。千歳船橋《ちとせふなばし》の老人会の方々に交じって、ものすごく熱心にメモを取っていらしたのを思い出して」

それからしばらく彼女はくすくす笑い続けた。そんなに笑うほどのことではないと思うけれど、とにかく不必要な緊張感が解けて、僕自身もほっとした。

彼女は紙芝居の一枚目をひっくり返して僕に見せた。そこには、十六枚目の裏に、「sacred/secured」と書いたものと同じハンドライティングで、「The little house/The memories of the little house」と、書かれていた。

他に質問はないかと訊かれて、ないと答えると、彼女は、

「ゆっくり見ていらしてくださいね」

と言って、スタッフルームに引き上げて行った。

僕は一人きり、応接間に残された。たしかにグループ見学者でもいない限り、この記念館は暇のようだった。順路を示す白い矢印に従って、僕はその家を見て回った。

三周年といっても、まだ真新しくて、部屋毎に木製のプレートが立ち、ここが応接間、ここが居間、縁側のサンルーム、寝室、などなど、かつてどうやってその家が使われていたかを示していた。

部屋がそのプレート通りに再現されているわけではなくて、記念館の目的は外観を資料通りに復元することと、文字通り、イタクラ・ショージの遺品を収納、展示することにあったから、畳部屋だった多くは板敷になり、本棚や資料用のガラスケースが置かれていた。大伯母が「終の棲家」とまで惚れこんでいた女中部屋は、木製のプレートに「女中部屋／スタッフルーム」と書かれていて、中には入れなかった。

僕は二階の、「子供部屋／読書室」とある四畳半ほどの小部屋に入り、イタクラ・ショージの漫画を手に取ってみた。絵は繊細で美しかったが、どこかに怖いような暗さが漂って、とても子供向けとは言えなかった。それでも、僕自身は強く惹きつけられた。

子供部屋を出て、隣の資料室に移動した。ここには、生前、イタクラ・ショージがコ

レクションした外国の絵本や漫画が展示されていた。

僕はフランス窓に寄り、庭を見下ろした。それは五月のことで、新緑が芽吹いて明るい緑色が庭を覆っていた。

窓辺には小さな書見台があり、来館者が名前と住所を記帳するノートが数冊、置かれていた。もっとも古いものは、表紙に開館した年が書かれていた。

和綴じの美しいノートだった。

なにげなく手に取り、ぱらぱらとめくってみた。

そして僕は発見した。

平井恭一という名前と、石川県の彼の住所を。

僕は一瞬、我が目を疑い、それから急いで筆記用具を探した。

7

僕は心霊とかスピリットとか神様のお告げとか、そういったことをほとんど信じていない。

けれど、このことに関してだけは、どこかであのきびきびした働き者の大伯母が、彼岸から指令を出して僕を動かしているのではないかと思っている。

僕はできうるかぎり丁寧な手紙を、平井恭一氏に宛てて書いた。なぜだか、そうしなければならないような気がした。

大伯母のことを書いた。大伯母の書いていた手記のことも書いた。それから、イタクラ・ショージ記念館と、平井氏の住所を見つけたいきさつを書いた。

しばらくして、平井氏の奥さんの代筆による返書があった。

「目と脚を悪くして、不自由しております。この年になると、なかなか出歩くのは困難です。お時間があるようでしたら、当方までお訪ねいただければ幸いです」

と、手紙は結んであった。

平井恭一氏を訪ねることができたのは、それから二ヶ月ほど経った夏になる。

彼は北陸の小さな町の、海に近い場所に住んでいた。

長いこと町役場に勤めて、引退してからそこに家を建てたのだそうだ。子供たちを育て上げて、奥さんと二人で移り住んだ家は小さくて、それでも品のいい家具や調度品が置かれていた。赤屋根の家を思わせるものはなにもなかったが、じゅうぶんに趣味の良さを感じさせる家だった。

奥さんに促されて居間に通された。肘掛け椅子に、白髪の老人が座っていた。レンズに濃い色のついた眼鏡をかけていた。

「やあ、いらっしゃい」

と、平井氏は言い、

「じゃあ、タキちゃんは、亡くなったんですね」

と続けた。

「はい。四年前に亡くなりました。赤い屋根の家のことばかり書いた覚書を残しています。今日はそれを持ってきました」

「ああ、そう。ありがとう。しかし、もう読めないねえ」

「そうねえ」

奥さんが静かに相槌を打った。

「三年前までは、脚もまだ動きましたし、目も見えましたから、記念館にも行けたんですが、ここへ来て進行しましてね、もうほとんど使いものになりません。来年、八十になります。ずいぶん長く生きました」

平井氏は言った。しかし、彫りの深い端整な顔立ちは、彼を年齢よりずっと若く見せた。彼は一通り、話してくれた。たまたま友人宅に泊まりがけで遊びに行っていたために空襲を逃れたが、両親を亡くして福井の祖父母のもとに身を寄せたこと。終戦後に福井の中学に転校して、最終的には金沢の大学に行き、県内の小さな町の役場に就職したこと。結婚し、子供が生まれ、巣立ち、いまは二十歳の孫がいることなど。

「イタクラ・ショージ記念館のことは、なぜご存知だったんですか？」

平井恭一氏は、僕の素朴な質問に、片方だけ筋肉を動かすようにして笑った。この八十近い老人の頬には、笑窪があった。

「イタクラ・ショージのファンですからねえ、僕は」

「いつから」

「昔からですよ。昭和三十年代の半ばかな。まだ若かったね。役場に入ってきた新人が持っててさ。まったく近頃の新人は職場で漫画なんか読むのかいって言いながら、借りてみたらおもしろかったんだ」

「それが板倉正治さんだってことは、いつから知っていらしたんですか？」

「すぐですよ。すぐにわかりましたよ。名前が同じだし、僕は、板倉さんの絵を見て育ってますからね。それにねえ、見てると、あるんですよ。ああ、あれを描いてるんだなって、わかるものがね。家だけじゃなくてねえ。あのころの東京の街並みだとか、人の持ってるものだとかね。なにかしらん、戦前に東京にいた人じゃなきゃあ、描かないようなものを描くんですね。それがまた、よくってね」

眼鏡を外して、平井氏は目の縁を拭いた。泣いたのではないと思う。彼は、楽しそうに片頬に笑窪を宿らせていた。

「連絡を取ったりは、されなかったんですか」

「誰と？　板倉さんと？　それはないね。しないね。そんなことをしようとは、一度も思わなかったね。なんのためにそんなことをするの？」

平井氏はこんどは、小さく声をあげて笑った。

たしかに問われてみると、なんのためにそんなことをするのか、わからなかった。

奥さんが、盆にビールとグラスを載せて運んできてくれた。小皿には塩漬けの鰤《ぶり》と、色鮮やかな青菜の和え物が盛られていた。

名物だからね、食べていくといいよと、平井氏が言った。僕は初めて、北陸名物の巻鰤というものを食べた。酒に浸して塩味を抜くのだという。

僕らはそれから、ずいぶんたくさんの話をした。

大伯母の、タキの話だ。

平井氏は細かいことをずいぶんたくさん覚えていて、大伯母がどんなふうに立ち働いていたか、どんな冗談を言い、どんな失敗をしたか、二人でどんな遊びを作りだし、彼女がどんな料理を作ったか、覚えている限り話してくれた。

二時間ばかりして、奥さんが、ごはんを食べて行きなさいと言った。

そうだ、飯を食って行きなさい、なんなら泊まって行ってもいいと、平井氏は言った。

僕はホテルを取っているからと断って、でも、喜んで夕食をいただいて帰りますと答えた。

奥さんが夕食の準備をする間に近場を案内すると、平井氏が言いだした。

「だって、あなた」

困った顔をする奥さんに向かって、チャーミングな平井氏はにこやかに笑い、

「だいじょうぶだよ。きっと健史くんが押してくれるよ」

と、言った。

押しますよ、と僕も答えた。

「車椅子なら、僕が押しますよ」

8

平井氏は日よけの帽子をかぶり、奥さんの肩を借りて車椅子に移った。

僕は奥さんに操作方法を教えられて、平井氏といっしょに外へ出た。

陽射しは思ったより強く、ここらは東京より暑いかもしれないよと笑う平井氏の車椅子を押しながら、夏草の生い茂る田舎道の下り坂を、踏ん張り気味に歩くと、背中に少し汗をかいた。

途中、僕らは、細い線路の踏切を越えた。線路の脇は伸び放題に草が生えていて、ゆるいカーブの先にはトンネルが見えた。

左へ曲がってまっすぐ行って、右にスロープが見えたらそこを折れてと、目の見えないはずの平井氏がしっかりした声で指示を出す。田舎の通りには人がいなくて、自動車が通ることも稀《まれ》で、ただ静かに草木を渡る風の音がした。

スロープを蛇行しながら下りると、その先は砂浜で、白い美しい浜辺の奥に、日本海が見えた。

「海の近くに住みたくてね」

潮の香りに気づいたのか、平井氏は頬をゆるめた。

「子供のころ、夏になると鎌倉の海へ出かけた。あのころはまだ浜辺もそんなに人がいなかったから、のんびりと海水浴を楽しんだものでした。タキちゃんは来ないんだ、さすがにタキちゃんが水着を着て泳いでいるところは見たことがない。父も仕事が忙しかったから、海まで出ることはほとんどなかったね。母は自慢の白い肌を灼《や》くのが怖さに、いつだって日傘を差して物陰に引っ込んでしまう。あの人は綺麗なのが自慢でね。着る物や化粧品や装飾品のことばかり考えてた」

陽射しが目に入ると目が痛み、涙が出てくるのだと平井氏は言った。頻繁にハンカチで涙を拭くのは、そのためらしかった。

夏の穏やかさの中ですら日本海の波は大きく、潮風は容赦なく平井氏の白い半袖のシャツの裾を何度となくはためかせた。砂浜は白く、海も波の泡が立って白かった。

海を見るのは久しぶりだった。水面が陽光を受けて生き物のように照り返す。

何が見えますかねと、おもしろそうに口をすぼめて平井氏が尋ねる。太陽を反射してキラキラしてる海が見えます、それに水平線と、夏の雲が見えますと、僕は答えた。

「そう、夏の雲が見えるの。そう」

満足げに平井氏はうなずいた。

僕は、忘れないうちにと思って、帆布《はんぷ》の肩下げ鞄からブリキのジープを取りだした。

「これ。大伯母が終戦の翌年に、石川清太さんのお父さんからあずかったものです。清太さんは空襲で亡くなったので、息子のかわりに、平井さんにあげたいって、そう言って、大伯母にあずけたみたいなんです」

セイちゃんのお父さん、と小さく驚いた声を出して、平井氏は両手を差し出した。

僕は平井氏の乾いた掌に、そっとジープを載せた。

「小菅製作所っていう玩具会社が、戦後すぐに売りだした――」

「ブリキだね？」

僕が最後まで言わないうちに、かぶせるようにそう言って、平井氏は、今度はほんとうに大きな声でからからと笑った。

「小菅のジープだね？」

「ええ。小菅のジープです。ご存知でしたか」

「当時は生意気盛りの中学生だったから、戦争が終わって進駐軍が来たからって、節操無くこんなもの作りやがって、ってそう思ったものね。きみは不思議な人だねえ。八十近くなって、誰かからこんなもの、もらおうと思わなかったもの。いや、うれしいんだけど、驚いちゃってね」

平井氏は眼鏡を外して、もう一度ハンカチで目の縁を拭いた。

「もう一個、あるんです」

僕は帆布のバッグの底をさらい、例の封書を引っ張り出した。

「何？」

「手紙なんです。平井時子さんの」

「未開封で、しかも宛名がないんです。大伯母が持ってたんですけど、大伯母宛だったら、開けてたんじゃないかと思うんですよ。宛名がない以上、差出人に返すのが正しいんだろうけど、平井時子さんは亡くなってるから、ご遺族なら」

「母の？」

「きみ、いくつ？」

「僕ですか。二十六です」

「おそろしく律儀だね。タキちゃん似か」

「いや、わかんないですけど。捨てたりするのは、なんか、どうも」

「開けちゃったっていいだろう。何十年も経ってるんだから」

「でも、人の手紙ですから」

平井氏はもう一度からからと笑い、片頬に笑窪を浮かべ、僕の腕を平手で何度も叩いた。

「おもしろい子だね、きみは」

「そうですか」

「いや、いい。全幅の信頼を置くよ。いま、開いて、ここで読んでくれ」

「いまですか？」

「ご遺族がいいと言ってるんだ。かまわないだろう。読みましょう。僕はなんとなく、想像がつくんだがね」

平井氏は口をつぐむと、顎に手を当てて目を瞑った。

僕は不器用に手紙を開いた。

そこには、美しい女性の手跡があった。


明日、昼の一時にお訪ねくださいませ。どうしても、お会いしたく思います。

必ずお訪ねくださいませ。

板倉正治様

平井時子

読みながら、僕は経験したことのない混乱に襲われた。

隣で平井氏は、今度はゆっくりと頰の筋肉を動かして、何か言いたげに口を開いたまま、しばしそこで動作を停止した。

僕は帆布のバッグを取り落とした。

白い砂の上に生成りのバッグの持ち手が少しだけ埋まり、大伯母のノートの端が覗いた。何を始めたのかいぶかるように、平井氏は音のする方に耳を傾ける。

ノートを拾い上げてページを繰った。記憶違いでなければ、大伯母は書いていたはずだった。入営のために弘前に帰る夜行に乗るはずのその日、板倉正治が平井時子を最後に訪ねてきた午後のことを。

「どうかしたかい？」

平井氏が傍らの僕に触れる。血管が浮き、雀斑《そばかす》のまばらな白い手が、揺れながら伸びてきて僕の腕をつかむ。

9

最晩年の大伯母の後悔の理由が、この手紙にあるのかどうか、僕にはわからない。手紙を読んでからの僕は、登った木から降りられなくなった猫みたいに、どこへも行けずに思いばかりをめぐらしている。

彼女があんなにも「書き残しておきたい」と願ったことの正体が、僕にはかつて以上につかめなくなってしまった。「健史にやってください」とメモ書きのついた、よれたノートはそこにあり、大伯母のちまちました読みにくい字で、あんなに細かくいろんなことが書かれているのに、僕にはなんにも教えてくれない。

はっきりしているのは、入営直前の板倉正治を訪ねて行こうとした平井時子をなだめて、大伯母自身が書くように促した手紙を、彼女は板倉正治に渡さなかったということだ。それは白い美しい和紙の封筒に入れられたまま、六十六年間、眠り続けた。

大伯母が手紙を渡さなかった理由は、覚書に書いていたように、「戦時下に、そんなことをするなんて、絶対にいけない」という思いが勝ったからなのか。それともまったく違う理由によるものなのか、それも謎のままだ。

あの時代は誰もが、なにかしら不本意な選択を強いられたと、平井氏は言った。

「強いられてする人もいれば、自ら望んだ人もいて、それが不本意だったことすら、長い時間を経なければわからない。そういうことがあるものです、僕がセイちゃんと遊ばなくなったようにね。遊びたかったのにね。遊びたいってことが、当時はわからなかったね」

そうなのかもしれない。大伯母は、時代の要請で、後々から考えると不本意な選択をしたのかもしれない。

しかし、イタクラ・ショージ記念館で買った、『小さいおうち』の複製の、十六枚目の絵を眺めていると、まったく違う可能性が浮かびすらするのだ。

大伯母は、あるいは、この美しい人妻に、恋をしていたのかと。

「八十近くになって、母親の浮気の証拠を見るとはね」

しばらく黙った後で、平井氏はまたおもしろそうに口をすぼめた。

「まあ、とっくに時効でしょう。知っていたけれどね、僕は」

その後、平井氏は、物を映さなくなった眼差しを水平線に向けながら、こんなことを言った。

「母は少し困った人でした。いつもどこかアンバランスで、あぶなっかしくて、誰かの庇護が必要な人だった。僕はいつも、もっとあってもいいはずの母親の関心が、一人息子に注がれていないことに不満でした。あの人は綺麗だったから、誰もがあの人を好きになる。また、好きにさせるのが上手でした。たしかに、母はそういう人でした」

波が寄せ返す音を繰り返し奏で、僕らは黙ってそれを聞いた。

陽が落ちるのを見届け、来た道を辿るように平井氏の車椅子を押した。

平井氏の家からはいい匂いがして、僕は地元の新鮮な魚を使った、奥さんの手料理をごちそうになった。

ありがとうとさよならを言い、僕は最終のローカル線に乗りこんで金沢まで戻る。

ホテルの部屋で、『小さいおうち』の複製を広げる。

一枚、一枚の真ん中の、丸囲みの中に三人の人物がいる。

不思議なことに大人の男がいなくて、小さな男の子はいつも一人で遊んでいる。

女二人はいつもいっしょだ。家事をしたり、何かを話していたりする。

最後の一枚で彼女たちは、手を握り合い、頭を寄せ合って、窓の外を眺めている。もう一度嵐が来ることを怖れているのか、少しだけ不安そうな顔つきだ。

彼女たちの視線の先に何が映ったのか。

イタクラ・ショージの目に、彼女たちはどう映っていたのか。

僕はけっして正しい答えを見つけられない。

僕はいつも、聞かなかった問いの答えばかりを探している。

対談　中島京子×船曳由美

私たちと地続きの時代の物語

「戦争に塗りつぶされた暗い時代」という単一のイメージで語られがちな昭和初期の東京における家庭や日常の風景を、女中・タキの目線から描き出す『小さいおうち』の著者の中島京子さんと、『一〇〇年前の女の子』でご母堂・テイさんを、大正から昭和にかけての農村や東京の暮らしの中に描きながらノンフィクションの物語に綴られた船曳由美さんに、いま急速に遠くなりつつある「昭和」という時代について語っていただきました。

小さいおうちはどこにあったのか?

船曳　『小さいおうち』を読んで、私はまずタキちゃんが奉公していた平井家はどこにあったのかなと思ったんですね。タキちゃんは自分の記憶をノートに綴っていますが、銀座とか鎌倉とか他の場所についてはお店の名前まで詳しく書いているのに、家があった地名は明かさないでしょう。

中島　東京の郊外というのは決めていましたけど、家が建っていた場所と恭一坊ちゃんが通っていた学校は架空のものにしたんです。近過去の話ですし、現地に行くこともできますから、特定してしまうと想像力の幅を狭めてしまうと思ったんですね。
もう一つ、タキちゃんにとって、戦後の東京は彼女の東京ではないんです。あまりに変わってしまった、平井家のあった場所を、いまのどこのあたりとは書きたくなかっただろう、というのもあります。
船曳　平井家の旦那様が開発著しい私鉄沿線の町に赤い三角屋根の文化住宅を建てたのは昭和十年ですね。いまは高級住宅地になっているという記述もあったでしょう。だから私は田園調布か成城学園あたりを想像したんですよ。主に関東大震災後に田園都市株式会社によって開発された住宅地です。
田園都市株式会社が宅地開発をするときに七つの要件をつくって、その一つに必ず消費組合、いまでいう生協のようなものをつくらなければならないというのがあったんです。私の父は、当時できたばかりの成城学園の消費組合に勤めていました。住んでいたのは同じ小田急沿線の千歳船橋です。そういえば、最後のほうに「千歳船橋の老人会」というのが出てきますね。他の地名ははっきりしないのに、どうしてイタクラ・ショージ記念館にガヤガヤと行く老人会は千歳船橋なのでしょう（笑）。
中島　たいへん失礼しました（笑）。「千歳」というめでたい文字がよいかと思いまして。
船曳　父は徳冨蘆花に心酔していたので、千歳村に住居をかまえたんです。その近辺で何度か引越しをしていて、私が五歳のときに移った家がちょっと「小さいおうち」みたいだったんですよ。画家の卵が大金持ちの親の仕送りでアトリエとして建てたらしいんです。漆喰で真っ白に塗られていて、洋間にはフランス窓がついていて、庭には大きな睡蓮の池があり、夢のようでした。隣のおうちの玄関が赤い三角屋根だったから、二つの家を合わせたイメージで読んだんです。

タキちゃんはたった二畳の女中部屋が大好きで、時子奥様に「わたし、一生、この家を守ってまいります」と言う。山形から十三歳で上京してきたタキちゃんの健気さが、この小説の一つの骨子だと思います。

中島　船曳さんの『一〇〇年前の女の子』に「奥州っ子」と呼ばれる子供が出てきますね。栃木の小さな農村よりも、もっと貧しい東北の村から働きにやってくる子たち。今回、再読してみて、タキちゃんは「奥州っ子」だったんだと気づきました。

船曳　でも、奥州っ子は前金をとっての口べらしです。タキちゃんはましです。貧しい農村の娘が都会の家に女中奉公に行って奥様の日常を学び、ある時期になると村に帰って結婚する。そういうパターンでしょうか。

中島　女中というのは都市から地方へ文化を運ぶという意味でもおもしろい存在です。また、平井家のような核家族、市電やタクシーなどの交通網、デパートでローンで買い物をするという消費生活など、いまの私たちの暮らしの原型にあるものは、全部この時代に調っています。昭和初期を描くときに、自分たちと同じような都市生活を享受している人を主人公にしたら、距離が縮まるんじゃないかと思ったんですね。

ハイカラなものからなくなる

船曳　今の私たちと近い、普通の人々の暮らしが生き生きと描かれているところが、この小説の素晴らしさです。例えばタキちゃんがつくる食べ物がすごくおいしそうでしょう。特にお正月の御馳走が良いですよね。おせちに飽きた人向けに、ねぎをそえた鴨のつけ焼きとか、旬の鯖をから揚げして南蛮漬けにしたものとか。

中島　ありがとうございます。私自身、食べるのが好きということも大きいと思います。タキちゃんは戦争で食料がなくなっていくなか、食卓が貧しくならないようにいろんな工夫をしますが、そんな彼女もどうしようもなくなる状態がやってくることがつらいんです。

船曳　私はこの小説に書かれた時代と成長期が重なりますから、はっきり憶えていることがあります。昭和十九年、父が「これが最後のチョコレートです」と言って持ってきてくれたの。「チョコレートだよ」じゃなくて、「チョコレートです」と、何かに宣言するような感じでした。玉チョコがのっている、バレリーナのチュチュのような小さな紙の皿があるでしょ。栃木の母の田舎に疎開したとき、秘密にとっておいたその紙皿を出してはくんくん匂いをかいでいました。それから昭和二十四年くらいまで、チョコレートを見なかったと思います。大事にしていた絵本も、田舎から帰ってきたら全部焚きつけにされてしまっていて……。戦争というのは、そういうハイカラな、もっとも大事な心に響くものからなくなっていくんだというイメージがありますね。

中島　私の祖母も戦時中をふりかえって、宝石の供出とか、文化的な催しがなくなっていったことへのいらだちをふっと口に出すことがありました。政治的な思想があるような人ではなかったのですが、自由学園で絵を学んでいたようなハイカラなおばあさんで。私が大学生だった八〇年代、景気が右肩上がりでどんどんよくなっていきそうだった時代に、「ちょっと嫌だわね、戦前みたいで」と言ったんです。

船曳　まあ！

中島　私にとって戦前は、軍靴の音が響いてくるイメージしかありませんでしたし、バブルのお祭り騒ぎの気配とはギャップがありました。だから「おばあちゃんは何を言っているんだ」としか思わなくて。どうしてそんなことを言ったのか、きちんと聞かないうちに祖母は亡くなってしまいました。そのことも、この小説を書いた遠いきっかけになっています。そして戦前について調べはじめたら、明治以降に取り入れた西洋文化が成熟した時代だったんだとわかったんですね。

船曳　粋な時代だったんですよ。橋本夢道という自由律の俳人が、戦前の銀座に甘いものの店、月ヶ瀬を出したんですけれども、その宣伝文句が「蜜豆をギリシャの神は知らざりき」っていうものです。すてきでしょう。私は銀座に行くたびにこの句を思い出すんです。

中島　いかにもそのころの銀座っぽいですね。今の感覚で見てもおしゃれだと感じるものがすごくたくさんあった。と、同時に、どうしてそのあとあんなことになっちゃったんだろうと思ってしまって。

船曳　本当に怖いですね。

中島　怖いんです。学校の歴史の授業で習ったときは、自分たちとはちがう「戦争の時代の人」がいたんだと思ったんですよ。でも、調べていくうちに、みんな私たちと同じように楽しく暮らしていたのに、いつのまにか戦争に向かっていったんだとわかりました。今の私たちも、いつでもああなる危険性があるんだと。

「おばあさん」的なユーモア

船曳　そういう不安で暗い話の中にもユーモアが溢れているところが私は好きです。タキちゃんの縁談で山形から送られてきた写真が黒すぎて白目の位置しかわからなかったとかね。いちばん好きなのは、タキちゃんが防空演習をしている自分のことを「キャリアウーマン」と表現するところ。甥の息子の健史に「キャリアウーマンという言葉は、そういうふうには使わないよ」なんて水をさされても、《もんぺに割烹着で颯爽と、男の人なんかとも「ここは、こうしましょう」などと、しっかり打ち合わせて、(中略)なんというか、決まっている感じというか、かっこよさについて、言いたかったのである》と返す。タキちゃんの面目躍如だし、作家の真骨頂だと思うんです。

中島　タキちゃんの語りだからというのもあると思います。戦後何年も経って、自分を客観視して書いているつもりがズレているという。人間が一所懸命な姿って、遠目から見ると可笑しいんですね。しかも「人にどう思われるか」をあまり気にせずに、見たまんまを言っちゃう主人公にしているから、おかしみが出るのかなって。

船曳　日本古来、語り部は「おばあさん」が務めるんですね。舞台の袖からずーっとこの世を見ていて、自分は正面に出ない。その分、細部の描写がおもしろくできるんです。

中島さんの「おばあさん」的な部分が、この小説のおかしみにつながっているのかもしれない。多摩川に台風で溺れた熊が浮いたとか、シチューの付け合せにはなますとか、細かい話の一つひとつが可笑しいんですね。

それから、言葉遣いもいいんです。時子奥様が「うんと」って言うでしょ。「うんと、かわいそう」とか。そういう言葉遣いに、旦那様にいつまでもお嬢さん奥様じゃ困ると言われているような時子さんの像があらわれている感じがします。

中島　タキちゃんの目線で書くと、ただただ崇拝の対象なんですね。だから最終章で、ちがう一面を見ている人物を出したんですけれども。

※この先は本編読了後にお読みください。

最終章に残る謎

船曳　最終章はハッとしました。タキの語りとばかり思っていた物語が、ノートを読んでは茶々を入れていた現代っ子の健史のいざないによって、別の視点からの物語に変貌するのです。巧みな入れ子構造が完成していますね。

その中で、最晩年のタキが顔をぐしゃぐしゃにして泣くというところは、その泣き方が「私にはおっ母さんがいなかった」と、米寿を過ぎて初めて打ち明けたときの私の母の泣き方と重なりました。この涙のわけは何であったのでしょう。

もう一つ謎があって、大伯母タキの死後に、健史が見つけた未開封の手紙のことがあります。差出人は平井時子、宛名はない。健史は時子奥様の息子の恭一を北陸に訪ねて行き、今は目が悪くなった彼に頼まれて、封を開けて中身を読む。結局、作者は当事者三人の誰にも、この二行の美しい文字を見せてないですね。時子奥様が手紙を読んでほしかった相手、板倉正治も、タキはもちろん、息子の恭一の目にも触れさせていない。六十六年の封印を切ってその文を読めるのは健史と、そしてこの、私という読者です。ここに非常に美しい、ものの哀れを感じました。

タキはなぜ泣いたのか、何を後悔していたのか、いろいろ考えられるけれども、真実が語られあかされないところがなみなみならぬ小説なのです。

中島　ありがとうございます。私が考えている理由はあるんですけれども、読んでくださったかたが自由に想像してくださったらうれしいですね。

対談まとめ／石井千湖（書評家）

文春文庫

小《ちい》さいおうち

定価はカバーに
表示してあります

2012年12月10日　第1刷
2020年2月5日　第18刷

著　者　中《なか》島《じま》京《きょう》子《こ》

発行者　花田朋子
発行所　株式会社　文藝春秋

東京都千代田区紀尾井町 3-23　〒102-8008
TEL　03・3265・1211(代)
文藝春秋ホームページ　http://www.bunshun.co.jp

落丁、乱丁本は、お手数ですが小社製作部宛お送り下さい。送料小社負担でお取替致します。

印刷・凸版印刷　製本・加藤製本
Printed in Japan
ISBN978-4-16-784901-6

（　）内は解説者。品切の節はご容赦下さい。

恒川光太郎

金色機械

時は江戸。謎の存在「金色様」をめぐって禍事が連鎖する——。人間の善悪を問うた前代未聞のネオ江戸ファンタジー。第67回日本推理作家協会賞受賞作。（東　えりか）

つ-23-1

天童荒太

ムーンナイト・ダイバー

震災と津波から四年半。深夜に海に潜り被災者の遺留品を回収する男の前に美しい女が現れ、なぜか遺品を探さないでほしいと言う——。現場取材をしたから書けた著者の新たな鎮魂の書。

て-7-5

堂場瞬一

虚報

有名教授が主宰するサイトとの関連が疑われる連続自殺事件。それを追う新聞記者がはまった思わぬ陥穽。新聞報道の最前線を活写した怒濤のエンターテインメント長編。（青木千恵）

と-24-4

堂場瞬一

黄金の時

作家の本谷は父親の遺品を整理中、一九六三年にマイナーリーグで野球をする若き日の父の写真を発見。厳格で仕事一筋だった父の意外な過去を調べるべく渡米する——。（宮田文久）

と-24-13

堂場瞬一

ラストライン

定年まで十年の岩倉剛は捜査一課から異動した南大田署で独居老人の殺人事件に遭遇。さらに新聞記者の自殺も発覚し——。行く先々で事件を呼ぶベテラン刑事の新たな警察小説が始動！

と-24-14

中島らも

永遠《とわ》も半《なか》ばを過ぎて

ユーレイが小説を書いた？　三流詐欺師が写植技師と組み出版社に持ち込んだ謎の原稿。名作の誕生だ。これが文壇の大事件となって……。輪舞する喜劇。痛快らもワールド！（山内圭哉）

な-35-1

中島京子

小さいおうち

昭和初期の東京、女中タキは美しい奥様を心から慕う。戦争の影が濃くなる中での家庭の風景や人々の心情。回想録に秘めた思いと意外な結末が胸を衝く、直木賞受賞作。（対談・船曳由美）

な-68-1

（　）内は解説者。品切の節はご容赦下さい。

中島京子
のろのろ歩け
台北、北京、上海。ふとした縁で航空券を手にし、忘れられぬ旅の光景を心に刻みこまれる三人の女たち。人生のターニングポイントにたつ彼女らをユーモア溢れる筆致で描く。（酒井充子）
な-68-2

中島京子
長いお別れ
認知症を患う東昇平。遊園地に迷い込み、入れ歯は次々消える。けれど、難読漢字は忘れない。妻と3人の娘を不測の事態に巻き込みながら、病気は少しずつ進んでいく。（川本三郎）
な-68-3

七月隆文
天使は奇跡を希《こいねが》う
良史の通う今治の高校にある日、本物の天使が転校してきた。正体を知った彼は幼馴染たちと彼女を天国へかえそうとするが。天使の嘘を知った時、真実の物語が始まる。文庫オリジナル。
な-75-1

額賀　澪
屋上のウインドノーツ
引っ込み思案の志音は、屋上で吹奏楽部の部長・大志と出会い、人と共に演奏する喜びを知る。目指すは「東日本大会」出場！圧倒的熱さで駆け抜ける物語。松本清張賞受賞作。（オザワ部長）
ぬ-2-1

額賀　澪
さよならクリームソーダ
美大合格を機に上京した友親に、やさしく接する先輩・若菜。しかし、二人はそれぞれに問題を抱えており――。少年から青年に変わっていく、痛くも瑞々しい青春の日々。（川﨑昌平）
ぬ-2-2

乃南アサ
新釈　にっぽん昔話
大人も子どもも楽しめる、ユニークな昔話の誕生です。「さるかに合戦」「花咲かじじい」など、誰もが知る六つのお話が、誰も読んだことのない極上のエンタテインメントに大変身！
の-7-11

林　真理子
最終便に間に合えば
新進のフラワーデザイナーとして訪れた旅先で、7年ぶりに再会した昔の男。冷めた大人の孤独と狡猾さがお互いを探り合う会話に満ちた、直木賞受賞作を含むあざやかな傑作短編集。
は-3-38